D0421963

La sexualité de l'enfant
expliquée aux parents

La Collection du CHU Sainte-Justine
pour les parents

La sexualité de l'enfant expliquée aux parents

Frédérique Saint-Pierre

Marie-France Viau

Éditions du CHU Sainte-Justine

Centre hospitalier universitaire mère-enfant

Catalogage avant publication de Bibliothèque et Archives Canada

Saint-Pierre, Frédérique, 1968-

    La sexualité de l'enfant expliquée aux parents
    (La collection du CHU Sainte-Justine pour les parents)
    Comprend des réf. bibliogr.
    ISBN 2-89619-069-4

    1. Enfants - Sexualité. 2. Enfants et sexualité. 3. Troubles sexuels chez
l'enfant. I. Viau, Marie-France. II. Titre. III. Collection : Collection du CHU
Sainte-Justine pour les parents.

HQ784.S45S24 2006   306.7083   C2006-941433-5

Illustration de la couverture et illustrations intérieures : Fanny
Infographie : Nicole Tétreault

Diffusion-Distribution au Québec : Prologue inc.
                          en France : CEDIF (diffusion) – Casteilla (distribution)
                          en Belgique et au Luxembourg : SDL Caravelle S.A.
                          en Suisse : Servidis S.A.

Éditions du CHU Sainte-Justine
3175, chemin de la Côte-Sainte-Catherine
Montréal (Québec) H3T 1C5
Téléphone : 514 345-4671
Télécopieur : 514 345-4631
www.chu-sainte-justine.org/editions

© Éditions du CHU Sainte-Justine 2006
ISBN (10) 2-89619-069-4
ISBN (13) 978-2-89619-069-0

Dépôt légal : Bibliothèque et Archives nationales du Québec, 2006
              Bibliothèque et Archives Canada, 2006

À Daniel, pour sa présence et tout le reste.
À mes parents, qui m'ont toujours encouragée.
À Frédérique, sans elle rien n'aurait été possible.

Marie-France

À Matis, Claudèle et Sofiane,
qui m'en apprennent sans cesse sur la vie.
À Frédéric, pour les défis relevés à deux.
À Marie-France, pour le plaisir dans le travail.

Frédérique

REMERCIEMENTS

▼

Nous tenons à remercier chaleureusement Luc Bégin pour sa disponibilité, sa grande efficacité et son dynamisme ainsi que pour avoir porté avec enthousiasme avec nous ce projet. Un merci tout particulier à l'équipe des Éditions du CHU Sainte-Justine pour tout le travail attentif et minutieux qui s'est toujours fait avec le sourire.

Nos remerciements vont également au docteur Claire Allard-Dansereau ainsi qu'à Sonia Lever pour leur contribution au plan médical et pour leurs encouragements.

Merci enfin aux enfants et à leurs parents qui nous offrent leur confiance et nous permettent d'en apprendre tous les jours un peu plus.

TABLE DES MATIÈRES

▼

INTRODUCTION

▼

Un jour ou l'autre, d'une manière ou d'une autre, l'enfant exprime sa sexualité. Très tôt, les adultes qui l'entourent, parents ou éducateurs, peuvent observer cette sexualité émergente, qui se manifeste de diverses manières et qui évolue selon le développement et la personnalité de chacun. Ces adultes se retrouvent parfois touchés, étonnés, mal à l'aise ou inquiets. Que penser d'un comportement particulier, que répondre à une question donnée, comment réagir, encadrer, rassurer, éduquer ? Et quand fermer les yeux, tout simplement pour laisser l'enfant tranquille ? Ce sont des situations où se côtoient autant de tabous et de malaises que de plaisirs et d'heureuses surprises.

Dans notre travail auprès des enfants, nous devons souvent répondre aux questions de parents, d'intervenants et d'enfants concernant la sexualité et les différentes façons dont elle s'exprime pour un enfant. De ces échanges est né le désir d'écrire un livre qui puisse renseigner sur le large et parfois délicat sujet de la sexualité de l'enfant, tout en offrant des pistes de réflexion.

Nous avons écrit ce livre en ayant constamment à l'esprit le respect des différences individuelles, tant chez les enfants que chez les adultes qui les entourent et veillent sur eux ; nous tenions également à ne pas surexposer un sujet qui relève de l'intimité. En effet, si l'on tente d'inculquer aux enfants l'idée que leur sexualité correspond en grande partie à un espace de vie privée, il importe d'aborder ce sujet avec délicatesse, en suivant avec tendresse les enfants dans leur développement. De toute façon, une partie de ce développement psychosexuel se passe selon un processus naturel, souvent à notre insu, et c'est très bien ainsi !

Nous avons considéré la sexualité dans le cadre très global du développement personnel des enfants. Il sera donc question non seulement de leurs activités et de leurs jeux sexuels, mais également de la construction de leur identité, y compris dans sa composante sexuelle, de leurs relations interpersonnelles, de leur amour d'eux-mêmes et des autres, ainsi que de leur rapport au plaisir.

Dans un premier temps, nous explorerons la place qu'occupe la sexualité dans le développement normal et global de l'enfant âgé de 0 à 12 ans : quelles en sont les étapes (physiques, psychologiques, sociales), quels sont les principaux enjeux en cause et comment les adultes doivent concevoir leur rôle auprès de l'enfant. Dans un second temps, nous regarderons les types de comportements et de jeux sexualisés dans lesquels s'engagent souvent les enfants, en considérant leurs fonctions possibles et en nous donnant des points de repère, afin de déterminer comment agir : fermer les yeux et laisser faire, encadrer en mettant des conditions ou poser des limites et formuler les interdits. Par la suite, nous porterons notre attention sur quelques situations plus particulières, afin de mieux les comprendre et d'adapter notre approche auprès des enfants qui les vivent. Il sera alors question des comportements sexuels problématiques, d'homosexualité, de troubles de l'identité de genre avant l'adolescence, ainsi que de la sexualité chez l'enfant handicapé. Ces aspects sont importants puisqu'ils touchent un grand nombre d'enfants et de parents, contrairement à ce que l'on pourrait croire. En effet, un nombre non négligeable d'enfants présentent des comportements hors normes qu'il nous est indispensable de comprendre si nous voulons les aider. Quant à la question de l'homosexualité, elle se pose souvent avant la puberté et prend enfants et parents au dépourvu. Enfin, il est pertinent, lorsqu'on cherche à comprendre le développement psychosexuel de l'enfant, de s'attarder à celui des enfants qui présentent un handicap physique ou intellectuel ; cet aspect de leur vie est généralement négligé.

Enfin, nous proposerons des pistes de réflexion et d'intervention concernant les questions d'éducation et de prévention des agressions sexuelles.

Nous espérons que vous trouverez dans le présent ouvrage matière à réfléchir et à réagir et qu'il favorisera une meilleure communication entre adultes et enfants sur les questions de sexualité et d'amour de soi et des autres, tant dans le *quoi dire* que dans le *comment le dire*.

CHAPITRE 1

SEXUALITÉ INFANTILE ET SEXUALITÉ ADULTE

▼

Deux réalités à distinguer

La sexualité est une notion très vaste qui concerne l'être dans sa globalité, dès sa naissance et tout au long de son existence. La sexualité s'exprime par toute une gamme de comportements et de besoins fondamentaux qui évoluent pendant la croissance. Elle se définit dans le cadre général du développement de chaque personne. Quand on parle de sexualité, il est donc question non seulement des activités et des conduites sexuelles, mais aussi et surtout du développement de l'identité (féminité, masculinité, orientation sexuelle), du besoin de relations d'attachement et de relations interpersonnelles (tendresse, amitié, amour, séduction, érotisme), d'amour de soi et des autres, ainsi que du rapport au plaisir. Voilà autant d'éléments étroitement liés à la qualité de vie. Et pour se développer, les enfants doivent organiser et intégrer tous ces éléments.

Michel Lemay, pédopsychiatre, résume avec beaucoup de justesse ce grand enjeu du développement lorsqu'il affirme que pour donner un sens à sa vie, « l'enfant doit associer sensorialité, sensualité, sensibilité, tendresse, affectivité, communication, génitalité, amour de soi et de l'autre et choix de l'objet investi ». Selon lui, cette association constitue un processus qui demande du temps, de l'énergie et ne peut se faire sans certaines « digues », comme la pudeur, les interdits, le surmoi et le refoulement qui interviennent pour aider l'enfant à sauvegarder son intimité.

Au début du 20e siècle, dans une époque marquée par le puritanisme, Sigmund Freud fut l'un des premiers à parler de sexualité infantile et à en étudier le rôle dans le développement de la personnalité. Bien que les théories de Freud aient été critiquées, entre autres parce que, en traitant du féminin d'un point de vue essentiellement masculin, elles minimisaient l'existence de grandes différences entre le développement masculin et féminin, sa contribution a néanmoins établi des fondements pour comprendre comment les sensations, ressenties dès la naissance en des zones précises du corps, contribuent au développement psychologique et à celui de la personnalité. Pour comprendre le développement des enfants, on a encore recours de nos jours aux notions de *phases orale, anale* ou *phallique*, ou encore de l'*Œdipe*, que Freud introduisit en identifiant leur rôle à des âges précis de la vie des enfants.

C'est d'abord au sein de la famille, dans ses rapports avec ses parents, que l'enfant établit les fondations d'une sexualité équilibrée ou problématique. Bien entendu, plusieurs facteurs influencent le rythme avec lequel un enfant passe d'une étape à l'autre. Sa constitution (tempérament, personnalité, susceptibilités) et son contexte de vie peuvent amener des éléments qui freinent ou bousculent les étapes de son développement psychosexuel.

La sexualité de l'enfant se distingue de plusieurs façons de la sexualité adulte, tant sur les plans physique que psychologique et il est très important de ne pas confondre ce que l'on sait ou ce que l'on vit de la sexualité adulte avec ce que l'on pense savoir et ce que l'on observe de celle de l'enfant.

Tout d'abord, l'enfant est physiologiquement immature et son corps ne se parachève tout à fait sur le plan génital que lors de la puberté. De plus, l'enfant est en plein développement et, plutôt que de s'articuler essentiellement autour de la génitalité, sa sexualité s'organise différemment, d'un stade à l'autre, autour de plusieurs zones sensibles du corps, outre la région génitale. Par exemple, sur le plan psychosexuel, la peau, la bouche et la région anale ont une grande importance bien avant que la région génitale ne devienne un réel élément d'intérêt. Les acquisitions qui sont faites à une étape, à la phase orale ou à la phase anale par exemple, constituent les fondations permettant de passer à la suivante. La sexualité de l'enfant évolue au même titre que, d'une manière globale, il change et grandit.

Enfin, il importe de ne pas comparer et confondre les motivations des enfants avec celles des adultes. Leur rapport à la sexualité est fort différent. En effet, chez l'enfant, y sont sous-entendus des besoins comme la curiosité, la recherche d'information, les enjeux d'identification, la recherche de plaisir et de sensations, des motivations qui évoluent d'une étape à l'autre et qui ne sont pas de l'ordre de la sexualité adulte qui, elle, est régie par exemple par la recherche du plaisir génitalisé, par les rapports de séduction et le désir de procréation. Pour bien comprendre les enfants, il importe de les découvrir en tentant d'adopter leur point de vue sur les choses plutôt qu'en les regardant avec nos yeux d'adultes et surtout d'éviter de projeter sur eux nos propres enjeux.

Sexualité, pudeur et intimité

Il est important, avant de s'engager plus avant sur la question du développement sexuel de l'enfant, de dire un mot au sujet d'un concept essentiel : celui de la pudeur, gardienne de l'intimité. Depuis toujours et dans toutes les cultures, des règles ont existé pour interdire d'exhiber certaines parties du corps, ces règles contribuant à fixer des limites entre les individus, entre les sexes et entre les générations[1]. Généralement, la pudeur nous renvoie au regard de l'autre sur la nudité et sur les parties sexuelles du corps, mais elle concerne aussi notre vie affective, nos pensées et nos sentiments, et elle sous-tend le respect des différences entre l'homme et la femme, entre le petit et le grand, entre l'intérieur et l'extérieur. La pudeur nous pousse à vouloir nous préserver du regard d'autrui et à définir un espace personnel d'intimité dans lequel nous ne voulons pas que les autres fassent intrusion. Les enfants, comme les adultes, ont besoin de cet espace. Et les enfants doivent compter sur ces derniers pour les aider à le définir et surtout à le protéger.

La pudeur prend naissance dans la relation entre l'enfant et son entourage (nous y reviendrons dans les chapitres traitant du développement de l'enfant). Cet apprentissage se fait dans les gestes de la vie quotidienne, par l'intermédiaire des routines entourant le bain, les soins corporels, le coucher, dans les contacts affectueux et dans le respect de lieux réels (un petit coin à lui) ou symboliques (des moments pour penser) auxquels l'enfant a accès. Il apprend ainsi à définir ce qui lui appartient : un lieu physique, des objets bien à lui, ses rêves, ses pensées et, bien entendu, son corps. Il délimite son espace et, par le fait même, se définit dans son rapport aux autres. C'est ainsi qu'en faisant preuve de respect pour le besoin d'intimité de son enfant, le parent contribue à le rendre apte à faire respecter ce besoin par les autres au cours de sa vie.

Toutefois, il existe de grandes variations dans les critères qui délimitent le public, le privé et le très intime, selon les cultures et les familles, et même selon les personnes au sein d'une même famille. Il existe aussi de grandes variations d'un âge à l'autre puisque la pudeur, inexistante au début de la vie,

---

1. Monique Selz. *La pudeur, un lieu de liberté.* Paris : Buchet/Chastel, 2003

s'installe progressivement lorsque l'enfant prend conscience du regard des autres sur lui, ainsi que de son propre regard sur les autres, regard souvent plein de curiosité. Vient un moment où il a besoin de protéger sa nudité et de ne plus tout raconter, revendiquant ainsi son droit à l'intimité. Avec le respect de cette intimité vient, pour lui, la possibilité de vivre son droit à une intégrité psychologique et physique.

Sans regretter les excès de pruderie des «temps anciens», il est évident que les critères ont considérablement évolué en ce qui concerne ce qu'on tolère de voir ou de montrer de l'intimité du corps et de l'âme humaine, et cela au profit d'une sorte de «dévoilement collectif». Sous prétexte de transparence, de liberté personnelle et, disons-le, de «marketing», il ne se trouve plus grand-chose qui ne puisse être dit ou montré, particulièrement en ce qui a trait à la sexualité. Le débordement pulsionnel dont font preuve les médias, desquels «jaillissent» des images sexualisées parfois très explicites, et l'accès facile à ces images troublantes et «surstimulantes» que nous livrent magazines, télévision et Internet obligent les adultes à s'interposer pour y faire écran ou les filtrer. Il est fondamental que les adultes s'efforcent de ne pas être avec leurs enfants des témoins muets de ces intrusions, mais qu'ils les commentent pour amener l'enfant à dire comment il interprète ces images, comment il les ressent, et quelles questions elles soulèvent chez lui. C'est ainsi qu'ils les aideront à développer un sens critique devant ces sollicitations.

CHAPITRE 2

LE DÉVELOPPEMENT PSYCHOSEXUEL DE 0 À 5 ANS

▼

La question de la sexualité de l'enfant se pose avant même sa naissance. Dès le moment où les parents conçoivent le projet d'avoir un enfant, le bébé prend forme dans leur esprit, puis dès que la grossesse est en cours, il se développe physiquement dans le ventre de sa mère. L'enfant est «imaginé», des attentes commencent à se former et, très rapidement, la question de savoir s'il s'agit d'un garçon ou d'une fille se pose avec insistance. Dans la grande majorité des cas, le sexe de l'enfant à venir ne laisse pas indifférent. Très naturellement, chacun y va de ses projections et de ses désirs. À cet égard, les fantasmes familiaux sont très présents.

L'entourage des futurs parents se plaît à faire ses prédictions (avec plus ou moins de succès!) et les tests diagnostics (l'échographie ou l'amniocentèse) permettent de connaître à l'avance le sexe du bébé. Certains parents veulent en être informés dès que possible, tandis que d'autres préfèrent le suspense, gardant la surprise pour le moment de la naissance et préservant ainsi un peu plus longtemps le bébé imaginé, quand tout est encore possible. On estime que de 70 à 80 % des futurs parents demandent à connaître d'avance le sexe de leur bébé. Et ils le demandent davantage pour le premier enfant tandis que pour le second, ils ont plus souvent envie de préserver l'élément de surprise.

Ainsi, la façon dont un bébé est accueilli, avec son sexe, est toujours influencée par l'histoire qui précède son arrivée au monde. Le fait qu'il s'agisse d'un garçon ou d'une fille détermine grandement les choix et les attitudes des parents et de l'entourage, eux-mêmes femmes et hommes, ayant chacun leur histoire en lien avec le sexe et avec d'autres hommes et d'autres femmes, leurs parents, leurs frères et sœurs, leurs amis ou leurs amours. Le sexe du bébé influence évidemment le choix de ses vêtements, leurs styles et leurs couleurs, la décoration de sa chambre, ses jouets, la façon de parler et d'entrer en contact avec lui, les surnoms affectueux qu'on lui donne, ainsi que les attentes, les espoirs et les craintes à son égard.

Certains parents, pour des motifs personnels et parfois plus ou moins conscients, ont une préférence très marquée pour un sexe, le désir très fort d'avoir un garçon plutôt qu'une fille, ou vice versa. En fait, ils peuvent même redouter fortement que le bébé qui arrive soit du sexe non désiré : « Que vais-je faire d'une fille ? Comment me sentir proche d'un garçon ? » Lorsque c'est le cas, l'attente peut soulever beaucoup d'anxiété. À son arrivée, le décalage entre le bébé souhaité et le bébé réel peut s'avérer difficile à assumer, et le contact avec l'enfant peut en être négativement affecté. Il est possible de prévenir ou, du moins, de minimiser ce type de problème. Il s'agit d'en parler, puisqu'une écoute attentive de la part d'un professionnel dénoue ce type de situations et fait en sorte que le bébé peut être accueilli tel qu'il est.

De la fécondation à la naissance

Tout être vivant est composé de cellules et c'est dans le noyau de ces dernières que l'on retrouve le matériel génétique : 23 paires de chromosomes, composés d'ADN, qui déterminent toutes nos caractéristiques individuelles. Le chromosome 23 contient le matériel génétique qui détermine le sexe génétique : XX pour la femme et XY pour l'homme. C'est le spermatozoïde qui, lors de la fécondation de l'ovule, déterminera le sexe de l'embryon, étant porteur soit d'un gène X, soit d'un gène Y ; celui-ci se voit associé au X dont l'ovule est porteur.

À partir de la fécondation commence un long processus de différenciation, d'évolution et de maturation ; déjà, l'embryon a un sexe génétique, mâle ou femelle. Cependant, jusqu'à la 6ᵉ semaine de grossesse, la morphologie ou la structure de l'embryon est indifférenciée. À partir de la 7ᵉ semaine, les embryons mâles et femelles prennent chacun leur chemin, selon l'interaction de facteurs morphologiques, endocriniens et neurologiques. À ce moment, chez le fœtus mâle, les testicules, en produisant l'androgène, contribuent au développement des organes génitaux externes. Chez le fœtus femelle, les ovaires se développent vers la 10ᵉ semaine.

Les organes génitaux externes aussi se présentent d'abord sous une forme indifférenciée, dont une partie est le tubercule génital. À partir de la 12ᵉ semaine, ce tubercule prend de l'expansion chez le fœtus mâle et devient le gland pénien, puis le pénis. Chez le fœtus femelle, le tubercule régresse et devient le gland clitoridien, puis le clitoris.

Des appareils à ultrasons (échographie) ont même permis de constater des manifestations sexuelles pendant la période intra-utérine ! « L'éveil au plaisir est déjà en voie de préparation. C'est vers la 16ᵉ semaine, dans le ventre de sa mère, que le petit garçon a ses premières érections[2]. »

À sa naissance, la fille possède dans ses ovaires quelque 400 000 ovules, qui lui seront nécessaires de la puberté à la ménopause. Quant aux organes externes et internes de reproduction (mâle ou femelle), ils se développent graduellement

2. Marie-Pier Élie. « La vie secrète de bébé ». *Québec Science* 2000 (4) : 34.

jusqu'à atteindre leur maturité au moment de la puberté. Les garçons et les filles produisent des hormones sexuelles (œstrogène, androgène, testostérone), mais dans des proportions différentes, propres à chaque sexe. Ces hormones sont responsables du développement sexuel, dès la fécondation de l'ovule par un spermatozoïde, c'est-à-dire dès que l'embryon a un sexe génétique.

Et qu'en pense le bébé ?

Le bébé n'a aucune idée du fait d'être une fille ou un garçon, et c'est plutôt à son entourage que cela importe. L'enfant naît mâle ou femelle, selon son sexe biologique, mais ni masculin ni féminin, et encore moins homme ou femme[3]. Plusieurs étapes de séparation, d'individuation et d'identification doivent se succéder pour qu'une conscience de soi en tant qu'individu sexué se développe. Il faut plusieurs années pour que l'enfant prenne réellement conscience de son appartenance sexuelle.

Le bébé : la sensualité en toute liberté

À son arrivée au monde, le bébé est un petit être sensuel, assailli de l'intérieur par une multitude de sensations, recherchant et recevant, par sa rencontre avec son entourage, une gamme d'émotions et de sensations. La sexualité de l'enfant se profile déjà dans les sensations plaisantes et nourrissantes, sur les plans physique et affectif, que ses parents lui procurent lorsqu'il est pris, changé, lavé, nourri, bercé, caressé, et qu'il reçoit d'eux des contacts sensuels sur l'ensemble de son corps.

Ces sensations sont d'abord vécues de façon indifférenciée, le bébé étant psychiquement fusionné à sa mère et ne pouvant vraiment distinguer ce qui provient du dehors ou du dedans. Progressivement, vers 3 ou 4 mois, en faisant l'expérience de

A. Beaudin. «Identité et orientations sexuelles». *Vies à Vies* 2001 13 (3) : 2.

délais entre un besoin éprouvé (j'ai froid, chaud, faim, je m'ennuie) et la réponse à ce besoin (maman-papa me prend, me couvre, me regarde), bébé commence à s'apercevoir qu'il est un être séparé. Lorsqu'il trouve une réponse satisfaisante aux sensations de faim ou de trop-plein, de froid, de chaud, de fatigue, d'ennui et de besoin de communication, ses liens d'attachement se consolident et il développe un sentiment essentiel de confiance qui sera le fondement d'une bonne estime de soi. Par la suite, ces deux éléments (capacité d'attachement et estime de soi) deviendront les ingrédients qui rendront possible une relation personnelle et amoureuse positive à l'âge adulte: avoir le droit d'accéder au bien-être et au plaisir, pour soi et avec un autre.

Dès la naissance, l'enfant peut avoir des réactions génitales spontanées (érection, lubrification), mais elles ne sont pas nécessairement accompagnées d'une excitation. Ces réactions sont évidemment plus visibles chez le bébé garçon. Toute personne qui a changé la couche d'un petit garçon a été témoin de ces érections, au risque de se faire arroser par la même occasion. Par ailleurs, les soins que l'on procure à l'enfant dans la région génitale, lorsqu'on le lange ou qu'on le lave, ne sont pas sans provoquer une certaine stimulation du pénis ou du clitoris, ce qui peut être sensuellement ressenti comme agréable ou désagréable, bien que cela se fasse dans un contexte de soins et non pas dans un contexte sexualisé.

L'auto-érotisme: lorsque bébé se «tripote»

Certains bébés commencent à manipuler régulièrement leurs organes génitaux lorsqu'ils ont à peine quelques mois. Toutefois, l'autostimulation génitale débute en général chez le garçon entre le 7e et 10e mois alors que, chez la fille, elle n'apparaît que vers la fin de la première année et se poursuit au cours des deux premières années. Chez le petit enfant, l'autostimulation génitale est produite par contact direct avec les organes génitaux, par resserrement des cuisses ou par frottement de ses organes contre un objet quelconque (peluche, couverture)[4]. Il n'est pas rare de voir le petit garçon la main dans sa couche, ou tirant sur son pénis comme sur un élastique de façon tout à fait impudique. Ces activités permettent au petit d'établir une relation plus étroite avec son corps et facilitent l'intégration de son image corporelle (son schéma corporel, c'est-à-dire la représentation psychique de son corps). Il n'y a pas lieu de s'en offusquer et de l'en empêcher, surtout que cela est généralement transitoire et sans conséquence néfaste.

Le corps du bébé et du petit enfant est fait pour réagir naturellement aux stimulations qui l'entourent. Dès les premiers mois et jusqu'à la troisième année, l'enfant vit sans tabous. Il est souvent à l'aise lorsqu'il est nu pour jouer sur le tapis du salon, au bord de l'eau ou dans la salle de jeu, en présence d'autres personnes. Il est même plutôt indifférent aux regards des autres et il vit cela dans le plus grand naturel.

Le rôle de papa auprès de bébé

La mère étant celle qui porte et donne naissance à l'enfant, qui l'allaite et lui procure les soins et la relation affective de base, l'importance de son rôle auprès du bébé est reconnue et valorisée depuis longtemps. Par contre, l'importance précoce de la relation papa-bébé fut, pour sa part, longtemps négligée. Mais on sait maintenant que, dès la naissance, le père contribue autant que la mère au développement affectif et psychologique de l'enfant et à la formation de son identité sexuelle. L'enfant percevrait même la présence du père beaucoup plus précocement que l'on a pu le penser. À ce sujet, le neuropsychiatre et éthologue Boris Cyrulnik note : « On sait que le père

---

4. Claude Crépault. *Protoféminité et développement sexuel : essai sur l'ontogenèse sexuelle et ses vicissitudes.* Sillery, Presses de l'Université du Québec, 1986.

est porteur d'une odeur de musc qui le caractérise, que la mère inhale ces molécules odorantes et qu'en fin de grossesse, on les retrouve dans le liquide amniotique. L'odeur du père est reconnue par le bébé avant même sa naissance ! Au cours des premiers jours de sa vie, le bébé apprend à reconnaître et à apprécier l'odeur et la voix des gens qui le lavent, le bercent, le chatouillent. »

Très tôt, la présence de papa auprès du bébé contribue à lui apporter quelque chose de différent de ce que lui procure le contact avec sa mère.

Selon Blaise Pierrehumbert[5], « on a observé qu'après quelques semaines, les manifestations d'attachement sont différentes ; la maman cajole, parle, sourit davantage, le papa joue, grimace, tient son bébé tourné vers l'extérieur, le manipule sportivement ». Et, comme a pu le confirmer Terry Brazelton, un pédiatre ayant travaillé sur les compétences des bébés, ceux-ci sont tout à fait capables de percevoir ces différences. Dès l'âge de 2 ou 3 mois, ils reconnaissent leur père en adoptant une attitude corporelle et des mouvements des membres qui lui sont réservés[6].

Enfin, selon Terrisse et ses collaborateurs, les actions du père seraient davantage associées au développement moteur et social, tandis que celles de la mère toucheraient plutôt le langage et le développement cognitif de l'enfant[7]. Le père a aussi cette fonction très importante qui consiste à « s'interposer » entre maman et bébé, en leur faisant comprendre qu'ils ne

---

5. Blaise Pierrehumbert, psychologue, chercheur et enseignant à l'Université de Lausanne, auteur du livre *Le premier lien : théorie de l'attachement*. Paris, Odile Jacob, 2003.

6. T. Berry Brazelton et Bertrand Cramer. *Les premiers liens : l'attachement parents/bébé vu par un pédiatre et un psychiatre*. Paris ; Stock, 1991. pp. 54-55.

7. Bernard Terrisse, Daniel S.L. Roberts, Ercilia Palacio-Quintin et Brenda E. MacDonald. « Effects of parenting practices and socioeconomic status on child development ». *Swiss Journal of Psychology* 1998 57 (2) : 114-123.

sont pas seuls au monde et que leur relation doit s'ouvrir sur l'extérieur.

La phase orale de 0 à 6 mois : téter, incorporer, découvrir

Le fait de téter correspond à une réaction primaire (réflexe), à un mouvement que le bébé est en mesure de faire dès la seizième semaine de gestation. Les échographies nous révèlent qu'avant même de naître, le fœtus sucette souvent son pouce. Ce réflexe de succion est essentiel à la survie du bébé, car sans lui, il ne parviendrait pas à se nourrir.

Si le plaisir de téter est intimement lié au besoin primaire de s'alimenter et de soulager la faim, il repose aussi sur le plaisir de la stimulation de la bouche, provoqué par la succion (succion non nutritive). C'est par ce mouvement de succion du pouce, de la sucette ou du bout d'oreille de son toutou que le bébé s'occupe et se calme. Il s'agit d'un premier plaisir, qu'il se procure lui-même, une satisfaction auto-érotique par laquelle il expérimente le plaisir. Environ 80 % des enfants de moins de 2 ans tètent ainsi un de leurs doigts, plus particulièrement après le sevrage du sein ou de la bouteille afin de retrouver cette sensation de plaisir.

Sucer son pouce, sa sucette ou un objet constitue l'expression la plus marquante du stade oral que traverse l'enfant de 0 à 15 mois, étape durant laquelle sa bouche est la principale zone érogène, source de sensations plaisantes. C'est aussi par cette zone que l'enfant explore le monde. Durant cette phase orale, le bébé porte à sa bouche les objets nouveaux pour «faire connaissance» avec le monde qui l'entoure. Par sa bouche, il découvre les objets (son hochet, son toutou), son corps (son poing, ses orteils) et celui de ses parents (le nez de maman, le menton de papa).

LE LAIT MATERNEL

Le lait maternel constitue toute l'alimentation nécessaire au nourrisson pendant les six premiers mois environ ; l'allaitement peut se poursuivre après cette période, si on le combine à de la nourriture solide. L'Organisation mondiale de la santé et l'UNICEF[8] recommandent aux mères d'allaiter leur bébé jusqu'à l'âge de 2 ans et même plus. L'allaitement maternel aide à protéger le bébé contre certaines maladies, comme les otites, les infections respiratoires, la diarrhée… À long terme, l'allaitement maternel réduit le risque de cancer et de diabète chez les enfants. Il assure à la mère une protection contre les cancers du sein et de l'ovaire, et contre l'ostéoporose. Enfin, l'allaitement maternel est peu coûteux et pratique, et il contribue à créer un lien particulier entre une mère et son enfant.

Le sein ou la bouteille ?

Le choix d'allaiter le bébé ou de le nourrir à la bouteille incombe à la mère bien que cela puisse se discuter entre parents. Les bienfaits de l'allaitement maternel sont reconnus, tant pour la santé de la mère que pour celle du bébé. L'allaitement maternel constitue aussi un moment d'intimité et de plaisir partagé d'une rare qualité pour la mère et son bébé. Il n'en demeure pas moins que certaines femmes ne se sentent pas à l'aise avec l'allaitement, ne pouvant concevoir de vivre une partie de cette relation avec leur enfant par l'intermédiaire de leur corps et de leurs seins. Il arrive aussi qu'au

8. Oganisation mondiale de la santé et l'UNICEF. *Stratégie mondiale pour l'alimentation du nourrisson et du jeune enfant.* Genève : OMS, 2003.

cours de l'allaitement, des difficultés surviennent qui ne peuvent pas toujours être surmontées. Dans de telles circonstances, le bébé profite davantage d'un biberon donné par une mère détendue, calme et à son aise, qu'au contact d'une mère tendue et ambivalente.

L'allaitement maternel peut-il comporter des écueils? Oui, parfois, dans le cas de certains allaitements tardifs où le corps de la mère, plutôt que de procurer une alimentation et un contact affectueux ponctuel, devient presque une source de «surstimulation» pour l'enfant plus âgé; celui-ci perçoit les sensations provoquées dans son corps par ce contact qu'il est le seul à avoir avec sa mère. Des souvenirs ambigus relatifs à un allaitement tardif peuvent être la source de conflits, par leur nature embarrassante pour l'enfant[9]. Il peut aussi s'avérer nécessaire de s'assurer que le corps de la mère ne devient pas l'équivalent d'un doudou qui joue principalement un rôle de réassurance. Vient un moment où l'enfant doit pouvoir s'éloigner du corps de sa mère qu'il ne peut pas manipuler seulement selon son bon plaisir.

Une sucette ou non?

Devrait-on, oui ou non, offrir une sucette au nouveau-né? Les avis sont partagés, parfois vivement affirmés. En effet, il y a du pour et du contre, et il n'est parfois pas facile de trancher. Les craintes les plus fréquemment exprimées par les parents concernent les «dépendances» que bébé pourrait développer ou la crainte qu'il se retrouve avec une dentition déformée. Il est vrai que le pouce gêne la bonne implantation des dents, mais il est rare que l'enfant le suce en permanence. En revanche, la sucette doit être aspirée sans relâche pour tenir

---

9. Marcel Rufo. *Tout ce que vous ne devriez jamais savoir sur la sexualité de vos enfants*. Paris: Éd. Anne Carrière, 2003. p. 57.

dans la bouche. De plus, elle est souvent souillée parce qu'elle traîne un peu partout et, surtout, elle est d'un recours un peu trop facile pour rendre les enfants sages : un petit pleur et hop, on bouche le trou avec la sucette ! Toutefois, que l'on soit pour ou contre l'usage d'une sucette, il faut convenir que certains bébés aiment téter et en ont besoin au-delà du besoin de s'alimenter ou de découvrir les objets.

Même si l'on connaît mal les bases physiologiques de l'effet calmant de la succion, il est évident, quand on les observe, que certains bébés arrivent ainsi à s'apaiser, par exemple lorsqu'ils doivent rester coincés dans le siège d'auto ou lorsque les parents ne sont pas disponibles ! En l'absence du parent qui calme, le bébé s'en occupe presque tout seul, grâce à cet objet prétransitionnel. On peut penser que cela n'est utile qu'aux parents, mais il n'en est rien, cela est aussi particulièrement utile au bébé.

La phase orale de 6 à 14 mois : mordre, s'affirmer, faire réagir

Avec l'apparition des dents, ce qui survient en moyenne entre le 6e et le 8e mois, le stade oral prend une nouvelle tournure. Il ne s'agit plus seulement de téter, mais aussi de mordiller, de mordre et de croquer. Il s'agit là d'un mouvement plus actif, qui mobilise la pulsion agressive. Généralement, cette période coïncide avec l'introduction d'aliments solides dans l'alimentation. C'est aussi à cette période que le bébé nourri au sein mord, accidentellement au début mais volontairement par la suite. De plus, l'enfant peut vouloir transformer un baiser en morsure, testant ainsi ses nouvelles dents et les réactions que cela suscite chez les autres.

MON ENFANT DE 2 ANS TRAÎNE SA SUCETTE PARTOUT !

Il n'est pas rare de voir un enfant de plus de 2 ans sucer son pouce ou réclamer quotidiennement sa sucette. Cela préoccupe les parents, car ils sont esclaves de la sucette afin de préserver la bonne humeur de leur petit et cela devient un enjeu dans la relation parents-enfant. Pour l'enfant, la succion permet de se calmer et de se débarrasser de tensions qui sont souvent liées au stress et à l'anxiété.

Les enfants timides, émotifs et anxieux ont peut-être plus souvent recours au pouce que les autres. De plus, la succion du pouce peut être un signe de régression momentanée suite à des événements stressants. Il faut s'interroger sérieusement lorsqu'un enfant suce son pouce toute la journée, qu'il est isolé des autres, qu'il ne joue pas ou ne participe à rien.

Si on se sent « envahi » quotidiennement par la gestion de la sucette, il est bon de rechercher d'abord les causes d'anxiété dans la vie de l'enfant puisque le recours à la sucette n'est qu'un « comportement symptôme ». Outre le fait d'agir directement sur l'élément stresseur, il convient aussi d'aider l'enfant à substituer à la sucette un objet transitionnel. Ainsi, tout en offrant un soutien réel à l'enfant, on limite la sucette à l'espace privé de la chambre et du lit. Il convient aussi de parler avec l'enfant, de le rassurer avec des mots et des images puisque sa capacité à se faire des images dans sa tête va de pair avec la possibilité de s'autoréguler de façon plus autonome.

Le bébé est de plus en plus distinct de sa mère, sur qui il a un nouveau pouvoir, celui de la surprendre, de lui faire mal, de la contrarier ou, au contraire, de l'aimer jusqu'à vouloir la croquer. Les parents aussi vivent cet « amour vorace » avec leur petit « beau à croquer ». Qui n'a pas, avec son bébé, joué à lui croquer la bedaine et les orteils ? Il s'agit là d'un geste érotisé tout à fait normal de désir d'incorporation, auquel participent souvent, avec une grande fébrilité d'ailleurs, les bébés et les petits enfants.

Lorsque les petites dents en viennent à mordiller trop fort, c'est au parent qu'il appartient d'interpréter ce comportement. Qu'est-ce que le bébé veut manifester par ce mordillement ? Notre interprétation de son comportement est-elle influencée par le fait que bébé est un garçon ou une fille ? Néanmoins, peu importe le contexte, il s'agit d'une des premières occasions de faire comprendre à son enfant qu'il peut et qu'il doit se contrôler et moduler son mouvement ou son envie en tenant compte de l'autre.

Le geste de mordre se retrouve ensuite chez l'enfant de 2 ans, qui manifeste ainsi sa frustration et établit son territoire. Si certains se contentent de mordre les objets, d'autres se servent de leur bouche pour agresser. Il ne faut pas passer sous silence ces morsures quand elles persistent, et il convient de les comprendre pour mieux y réagir. S'agit-il d'un geste d'agression engendré par la frustration de ne pas se faire comprendre ou de s'être fait voler un jouet, d'un geste d'affirmation de soi, ou encore de la recherche d'un plaisir érotisé (je t'aime, je te croque) ? Il est aussi possible que le petit « mordeur » n'ait pas compris que son geste fait mal, surtout si on le surprend à regarder avec étonnement son camarade en larmes. Quand le geste est agressant pour autrui ou pour l'enfant lui-même, il est indispensable de lui en faire comprendre les conséquences (« Ça fait mal, je n'aime pas ça du tout, on ne mord pas les autres!») et de lui proposer des façons plus acceptables de s'exprimer.

Le doudou, objet transitionnel

Vers la fin de la première année et au cours de la seconde, l'enfant s'attache souvent à un objet précis, qu'il choisit lui-même et qui devient très important pour lui. Le doudou est une couverture, une peluche ou parfois un bout de tissu, qui est manipulé sensuellement, tété, frotté contre le nez ou encore caressé entre deux doigts. Elle traîne partout et disparaît toujours au moment où il ne le faudrait pas. L'enfant y tient par-dessus tout et cela peut durer des années. Elle peut aussi tout endurer: les caresses passionnées, les morsures agressives, les pleurs et le nez qui coule.

Cet objet s'imprègne des odeurs familières, un peu de l'odeur de maman, un peu de celle de papa, et pourquoi pas un peu de celle du chien. Lorsque l'enfant respire ces odeurs, celles-ci évoquent l'image de ses figures d'attachement ou encore des lieux où il se sent bien. Ces images le rassurent, le réconfortent et lui procurent le sentiment d'être «accompagné» et en sécurité. C'est le psychanalyste D.W. Winnicott qui a introduit le terme d'objet transitionnel pour définir cette «première possession non-Moi», extérieure à l'enfant et choisie par lui, qu'il investit pour lutter contre l'angoisse de la séparation. Cet objet transitionnel l'aide à supporter les peines et la tristesse lorsque maman s'éloigne, à combler le vide et à transformer l'attente en occasion de détente, d'apaisement et de rêverie.

La phase anale: 2 ans

Avec la maîtrise de la marche et le développement du langage, on observe chez l'enfant âgé de 15 mois à 2 ans et demi que la zone anale prend de l'importance, tant en ce qui concerne les sensations que les enjeux qui y sont associés. L'enfant devient plus autonome et commence à être physiologiquement apte à contrôler ses sphincters. Les parents peuvent anticiper une nouvelle période, celle de la fin des couches à changer et le début des négociations avec un petit enfant qui fait l'apprentissage de la maîtrise de son corps (laisser aller ou se retenir, tout en faisant plaisir, à soi ou à papa-maman), de ses désirs et de ses émotions et, surtout, de sa relation avec ses parents.

Il s'agit d'une période intense et tumultueuse, au cours de laquelle l'enfant fait de nombreuses découvertes et conquêtes. Il devient évident qu'il doit apprendre à transiger avec les demandes de plus en plus précises de ses parents. À quoi consentira-t-il ? À quoi résistera-t-il ?

Se retenir ou non ? Pour faire plaisir ou pour s'opposer ?

Il faut d'abord reconnaître, bien qu'on n'y pense pas tous les jours, qu'on retire physiquement un certain plaisir à évacuer les selles car il s'agit d'une décharge de tension physiologique. Ce n'est pas pour rien que tant de gens entourent ce moment d'un rituel ou l'accompagnent d'une lecture (ne trouve-t-on pas souvent quelque chose à lire dans les cabinets de toilette !).

L'enfant aussi éprouve dans son corps ce jeu de tension et de relâchement qui crée le plaisir. De plus, il se rend compte de l'effet que cela a sur son entourage. Quel parent ne s'est jamais exclamé : « Oh, le beau gros caca ! Oh, quel bébé en santé ! ». Entre le parent et son enfant s'installe donc une dynamique dans laquelle l'enfant produit quelque chose qui vient de lui, qui est en quelque sorte offert au parent, qui le reçoit souvent comme un don, généralement plus agréable à recevoir lorsqu'il est offert au bon endroit !

UNE DÉCOUVERTE ÉTONNANTE

En témoigne cette anecdote d'un petit garçon de 2 ans dont la mère était hospitalisée depuis quelques semaines à la suite d'un accident. Le père fit la découverte étonnante, dans le réfrigérateur, d'un petit camion-jouet dans lequel son garçon avait placé une précieuse petite crotte, probablement conservée en attendant sa mère !

On voit ici l'enjeu : donner au bon moment et au bon endroit (dans la toilette) et ainsi se soumettre au désir du parent ou, au contraire, s'y soustraire en se laissant aller n'importe où (dans sa culotte, de préférence quand on est tout habillé avec l'habit d'hiver sur le dos) ou se retenir en inquiétant maman (« Il n'est pas allé sur le pot depuis deux jours ! »). La maîtrise des sphincters lui permet une certaine maîtrise sur ses parents : il observe la triste tête de ces derniers quand il fait dans sa couche et leur regard de fierté lorsqu'il va sur le pot. L'enfant vit alors des sentiments de toute-puissance : « C'est moi qui décide, je peux m'opposer ou me soumettre. » Il s'agit aussi d'une des premières occasions où on lui demande de s'occuper de lui-même.

L'apprentissage de la propreté

Lorsque l'enfant a suffisamment de maturité physiologique pour maîtriser ses sphincters, il peut graduellement user de sa volonté pour laisser aller ou se retenir. C'est alors sa maturité psychoaffective qui se développe. La plupart du temps, l'enfant indique que ce processus est bien enclenché en le signifiant lorsque sa couche est salie, pour se faire changer, puis en l'indiquant lorsqu'il s'apprête à éliminer. Il démontre aussi son intérêt pour le passage des autres aux toilettes, avec le besoin de voir ce qu'on y laisse et de le faire disparaître en actionnant la chasse d'eau. Les selles font partie de l'enfant et il doit apprendre à s'en déposséder. Tous les enfants sont intéressés par ce qu'ils laissent au fond de leur pot. Ils font ainsi la différence entre le dedans et le dehors, et cela les passionne. Parfois, ils veulent aussi connaître et toucher ce qu'ils viennent d'expulser.

Lors des premières expériences aux toilettes, les enfants peuvent spontanément appeler l'adulte : « Maman, viens voir ! ». On comprend leur perplexité en sachant que ce qui est donné correspond à quelque chose dont on se départit. Certains enfants peuvent vivre avec une certaine anxiété le fait que cette partie d'eux-mêmes disparaît dans un tourbillon pour aller au fond d'un trou. Ils voient aussi souvent les toilettes comme un trou sans fond, dans lequel la moindre maladresse peut les faire tomber avec un fracassant bruit de chasse d'eau.

Les plaisirs permis

Il n'est pas étonnant qu'au moment de vivre tous ces enjeux, les enfants aiment jouer avec ce qui leur en met plein les mains : pâte à modeler, peinture aux doigts (et parfois aux pieds, ultime plaisir !), jeux de sable et d'eau, recettes de pouding à la boue assaisonné de brins d'herbe. Il s'agit là de matières qui se substituent aux selles, avec lesquelles l'enfant joue rarement. Du moins, il ne le refait pas s'il en a déjà tenté l'expérience, entre autres choses parce que tant d'autres matières s'y substituent, ce qui lui permet de se défouler là où il y aurait autrement des interdits.

Il n'est pas rare de voir des enfants de 3, 4 et 5 ans régresser à ce stade lors d'une expérience de stress qui les déstabilise. Une petite fille de 4 ans, qui vivait le grand stress de voir sa mère partir pendant plusieurs jours pour s'occuper du nouveau-né malade et longuement hospitalisé, s'était remise à faire des dégâts multiples à la maison et à dessiner sur les murs. Elle exprimait ainsi sa détresse de voir sa mère lui échapper, tant sur le plan affectif que physique, cette dernière étant naturellement très préoccupée et souvent absente de la maison. Bien entendu, cette petite avait besoin d'entendre qu'il n'est pas acceptable de dessiner sur le mur. Toutefois, elle fut agréablement étonnée de voir sa mère sortir un jour une grande feuille, la coller au mur et se mettre avec sa fille à dessiner, à barbouiller, à mélanger, à répandre. Elle obtenait l'attention de sa maman, de façon encadrée, dans un temps et un lieu déterminé et limité, tout en étant acceptée là où elle avait besoin de retourner.

La découverte du corps, l'élargissement du vocabulaire et des connaissances

Autour de cette curiosité pour la fonction d'élimination se développe aussi chez l'enfant un intérêt pour les sensations et les fonctions de son corps, la façon dont il est constitué, avec ses formes, ses appendices et ses orifices, ainsi que pour les différences anatomiques entre les hommes et les femmes, entre papa et maman. L'enfant aime être nu, il a tendance à vouloir toucher le corps des autres ou à regarder papa, maman ou grand frère lors du déshabillage, à la douche ou aux toilettes. Le petit garçon manifeste généralement un grand intérêt pour son pénis, qu'il manipule machinalement ou bien spécifiquement. Des sensations génitales précoces existent aussi chez la fille et s'accompagnent de jeux d'exploration qui permettent de connaître l'orifice vaginal. Il est toutefois rare que la fillette y fasse pénétrer réellement ou de façon répétée ses doigts ou un objet. Voici comment s'exprimait une fillette de 4 ans, nous permettant de mieux saisir comment la découverte de cet orifice peut être vécue par les plus petits : « Maman, en touchant dans ma vulve, je suis tombée dans un trou ! ».

Question de parents

▶ Jusqu'à quel âge peut-on dormir avec son enfant?

Plusieurs contextes fort différents les uns des autres peuvent amener un enfant à dormir avec ses parents. Ainsi, il importe de les évaluer individuellement car ces situations sont très dissemblables: il y a l'enfant qui vient dormir dans le lit de ses parents pour se rassurer parce qu'il tonne ou à la suite d'un cauchemar, il y a les moments où les parents accueillent les enfants dans leur lit au petit matin, il y a les petits qui s'endorment un soir dans le lit parental avant d'être ramenés dans leur propre lit, et il y a les situations plus complexes où l'enfant «prend sa place» dans le lit des adultes. C'est parfois le cas des enfants qui dorment avec un parent lorsque l'autre parent travaille ou encore quand ceux-ci sont séparés. C'est le cas également des enfants anxieux qui résistent au moment de solitude précédant l'endormissement et qui veulent à tout prix l'éviter en se collant sur quelqu'un.

Lorsqu'un tel comportement survient, il importe pour le parent de savoir ce qui l'empêche, parfois inconsciemment, de replacer l'enfant dans son propre petit lit, avec chaleur, mais fermeté. En effet, si les enfants craignent parfois la solitude, les parents aussi

(...)

(suite)

peuvent la redouter et chercher la présence réconfortante de leur enfant. Ou encore, peut-être est-il difficile pour les parents de se retrouver l'un près de l'autre au lit. Certainement, il faut se rappeler que l'enfant (fils ou fille) n'est pas un mari ou une épouse, et qu'il n'a pas à prendre l'habitude de dormir dans le lit parental lorsque le père ou la mère est absent ou parti. Il ne peut ni ne doit le remplacer. De plus, l'enfant n'est pas un adulte et n'a pas à rassurer un parent anxieux ou esseulé. Lorsque c'est le cas, la barrière intergénérationnelle est défaillante et cela angoisse les enfants. De plus, quand une telle situation persiste, elle peut éveiller chez l'enfant des pulsions sexuelles précoces. Les parents, eux-mêmes souvent aux prises avec des situations affectivement pénibles et ignorant l'impact de ces conduites sur l'enfant, trouvent difficilement comment s'en sortir. En effet, une fois qu'un enfant a pris sa place dans le grand lit, il n'en sortira pas sans protester !

Afin de corriger cette situation, il faut d'abord être prêt soi-même, comme parent, à identifier les gratifications secondaires que cette proximité avec l'enfant apporte et à y renoncer. Pour y arriver, cela prend parfois un petit coup de pouce de la part d'une personne à qui l'on peut se confier. Vient ensuite le temps d'expliquer pourquoi il doit dormir seul : il est grand, maman veut dormir seule ou encore maman et papa veulent dormir ensemble. Il faut le rassurer en lui expliquant que papa et maman sont dans la maison, à proximité, qu'ils veillent sur lui et qu'ils écoutent ses peurs, celles du noir et des monstres.

Des compromis rassurants doivent être faits (une veilleuse, un toutou magique anti-monstre, une porte entrouverte). Une routine autour du moment de se coucher doit être établie et respectée : brossage des dents, histoire, bisou et dodo. Cette routine lui permettra d'anticiper la prochaine étape sans être pris par surprise. Enfin, il importe de créer des moment doux avant et après le dodo pour que celui-ci devienne un temps privilégié : avant de se coucher, on peut lui raconter une histoire pendant qu'il est collé au chaud près de maman ou de papa et, au réveil, ce sont des retrouvailles dans le lit parental, alors que tout le monde a bien dormi.

Les comptines et jeux par lesquels on identifie les parties du corps (menton fourchu, bec d'argent, nez cancan) lui permettent d'élargir son vocabulaire et d'élaborer son schéma corporel, c'est-à-dire la représentation qu'il se fait de son corps. Dans le même ordre d'idée, l'utilisation des termes exacts pour désigner les parties du corps, incluant les organes génitaux, contribue à mettre l'enfant à l'aise avec son corps. Bien sûr, il faut s'assurer de ne pas en donner plus que nécessaire. Spontanément, les petites filles parlent parfois de boutons pour désigner leurs seins et leur clitoris, et certains petits garçons désignent leur pénis en parlant d'un « pipi » ou d'un « zizi ».

IL Y A DES MOTS PLUS DRÔLES QUE D'AUTRES !

Le stade anal s'exprime aussi par des mots dits avec fébrilité et un grand plaisir : « pipi, caca, fesses, pet ». L'enfant montre à son entourage qu'il est grand, puisqu'il est propre et s'affirme en utilisant des gros mots, des mots de grands. Il les prononce pour le plaisir et pour tester la réaction des adultes qui l'entourent. Plus vous accorderez d'importance à ces mots et plus l'enfant les répétera. L'enfant finit par se lasser de ce jeu, surtout si vous y portez moins d'attention et ne semblez pas mordre à l'hameçon. Si vous ne pouvez vous empêcher d'intervenir, expliquez-lui qu'on ne dit pas de tels mots en public et qu'on les relègue dans la chambre ou encore mieux dans la salle de bain, d'où ils proviennent.

La conscience de soi et de l'autre : les premières découvertes sur la différence des sexes

La représentation interne de lui-même et des autres apparaît dès la deuxième année de vie de l'enfant[10]. Dès l'âge de 18 mois, il est apte à se reconnaître lorsqu'il voit son image dans un miroir. À 2 ans, il a intégré une conscience psychologique de son sexe et peut distinguer les garçons des filles par des attributs externes, comme les vêtements, la coiffure ou le rôle social. C'est alors que se forme le noyau de son identité sexuée. Les premières découvertes qu'il fait sur la différence entre les sexes marquent un tournant dans son évolution et dans la conception qu'il se fait de lui-même. Cette conscience de lui-même, comme être sexué, se développe principalement dans l'étape suivante, quand l'enfant entre dans la phase œdipienne.

10. Paulina F. Kernberg et al. *Personality Disorders in Children and Adolescents.* New York : Basic Books, 2000.

Questions de parents

▶ **Quelle est l'influence des hormones maternelles sur le nouveau-né ?**

Les hormones maternelles peuvent provoquer une hypertrophie des seins et de la vulve chez le nouveau-né. Il peut y avoir aussi émission de lait par les seins du bébé et de petites pertes vaginales de sang chez la fille (par retrait de la stimulation hormonale maternelle).

▶ **Je vais bientôt avoir un petit garçon. Dois-je le faire circoncire ou non ? Comment laver le pénis d'un petit garçon ?**

De nos jours, il n'est pas fréquent de faire circoncire son enfant, à moins de convictions religieuses ou de problèmes physiques. Le pénis comprend le corps du pénis et le gland ; le prépuce est une peau qui recouvre le gland. Pendant les premières années, le prépuce se sépare du gland. C'est un processus naturel qui se produit au fil du temps, sans qu'il soit nécessaire de faire quoi que ce soit. Lorsque le prépuce se sépare, on dit qu'il est rétractable, c'est-à-dire qu'il est possible de le descendre et de le remonter facilement par la suite.

Pour nettoyer un pénis non circoncis, lavez-le doucement lors du bain. En général, le prépuce ne devient pas entièrement rétractable avant l'âge de 3 à 6 ans.

(…)

(suite)

Il n'est pas toujours nécessaire de rétracter le prépuce. Lorsque celui-ci se sépare, des cellules de la peau sont rejetées et remplacées par de nouvelles. Ces cellules mortes s'échappent du pénis par le bout du prépuce et peuvent ressembler à des grumeaux blanchâtres. C'est le smegma. Essuyez-le simplement lors du bain. Plus tard, en grandissant, votre enfant pourra faire lui-même son hygiène personnelle.

▶ **Je ne suis pas certaine que les deux testicules de mon bébé de 5 mois sont descendus. Que devrais-je faire?**

Un testicule non descendu ne cause aucune douleur et ne cause aucune difficulté pour uriner. Il devrait descendre par lui-même au cours de la première année. Voici un petit truc, si vous n'êtes pas certaine que les testicules sont rétractés : asseyez le bébé dans le bain, vous avez alors plus de chance de les voir apparaître. Si vos inquiétudes persistent, n'hésitez pas à contacter votre pédiatre.

▶ **J'aimerais beaucoup que mon enfant n'ait plus de couches aux prochaines vacances d'été. À partir de quel âge peut-il être propre et comment savoir quand mon enfant est prêt? Comment puis-je aider mon enfant à apprendre à utiliser les toilettes?**

Sur le plan physiologique, la propreté n'est possible que lorsque bébé maîtrise parfaitement ses sphincters. Pour cela, son système nerveux doit être arrivé à maturité, et l'enfant doit être conscient de la contraction et du relâchement de ses muscles. Selon certains auteurs, cette maturité physiologique ne survient qu'à partir de 18 mois environ. La plupart des enfants sont prêts entre 2 et 4 ans, mais chaque enfant est différent.

Votre enfant est probablement prêt à devenir propre lorsque :

- il peut marcher jusqu'au petit pot ;
- il est stable et équilibré une fois assis sur le petit pot ;
- il peut rester sec dans sa couche plusieurs heures d'affilée ;
- il peut suivre une ou deux directives simples ;
- il peut vous faire savoir quand il a besoin d'utiliser le petit pot ;
- il peut lui-même descendre son pantalon.

Pour que l'enfant utilise les toilettes, assurez-vous de disposer de temps et de patience afin de l'aider chaque jour et de lui accorder toute l'attention voulue.

Votre enfant se sentira plus en sécurité et plus stable sur un petit pot que sur le siège des toilettes. Si vous n'utilisez pas de petit pot, vous aurez besoin d'un siège adapté. Placez le petit pot à un endroit que votre enfant peut facilement atteindre. Établissez un horaire de miction sur le pot, à des heures bien précises de la journée. Louangez souvent votre enfant et soyez patient.

(…)

(suite)

▶ **Mon enfant a des démangeaisons à la vulve et à l'anus, surtout durant la nuit. Quelqu'un m'a déjà parlé de vers intestinaux. Qu'est-ce que c'est ?**

Les vers intestinaux, qu'on appelle oxyures, sont de minuscules vers blancs filiformes qui vivent dans les intestins. Durant la nuit, ils sortent à l'extérieur de l'anus et déposent leurs œufs dans les replis cutanés. Cela peut amener de fortes démangeaisons dans la région de l'anus et du vagin.

Les oxyures sont des parasites et non une maladie. Les oxyures se transmettent quand une personne infectée se gratte là ou elle éprouve des démangeaisons, que des œufs d'oxyure se déposent sur ses doigts ou sur ses ongles et qu'elle touche ensuite une autre personne. Une personne non infectée peut le devenir si elle touche les vêtements ou les autres objets sur lesquels se trouvent les œufs provenant d'une personne infectée. Ces œufs peuvent survivre plusieurs semaines hors du corps humain.

Un médecin peut diagnostiquer une oxyurose à l'aide d'une technique très simple. Si vous avez vous-même constaté la présence de ces petits vers chez votre enfant, demandez à votre pharmacien ou au médecin un traitement médicamenteux; il faut alors s'assurer de traiter toute la famille et de bien laver vêtements et literie.

▶ **Ma petite fille a des rougeurs à la vulve. Pourquoi ? Que puis-je faire pour prévenir cela ?**

On appelle «vulvite» ces rougeurs ou démangeaisons à la région vulvaire, sans écoulement. Les causes de telles rougeurs sont soit d'origines naturelles, soit provoquées par certains agents irritants. La cause est rarement une infection ou une maladie de la peau.

Parmi les causes naturelles, on remarque parfois, chez la jeune enfant, que les grandes lèvres deviennent trop petites pour recouvrir totalement la muqueuse vaginale et protéger le vagin. De plus, après l'âge de 2 ou 3 ans, les hormones transmises par la mère lors de la grossesse (œstrogènes) diminuent, ce qui amincit les muqueuses des organes génitaux des petites filles et les rend plus facilement sujettes aux irritations. Enfin, comme l'anus est situé tout près de la vulve, cela peut causer des irritations et parfois même des infections si l'enfant ne s'essuie pas correctement après être allée à la selle.

Il peut aussi s'agir d'agents irritants, comme les savons parfumés, les assouplisseurs de tissus, les détergents à lessive, la mousse pour le bain, la poudre de bébé et le shampoing. Quelquefois, la vulve est irritée par des sous-vêtements trop serrés ou faits d'un autre tissu que le coton, ou par un maillot de bain, une couche ou un sous-vêtement restés trop longtemps humides ou souillés.

(...)

(suite)

En respectant les mesures suivantes, la majorité des rougeurs devraient disparaître :

- Au besoin, donner un bain (15 minutes environ) pour soulager l'enfant (avec de l'eau seulement).

- Chaque jour, favoriser le bain plutôt que la douche (cela permet de ramollir et de décoller les sécrétions naturelles du vagin).

- Utiliser du savon non parfumé pour laver la fillette, sans l'appliquer à l'intérieur de la vulve.

- Laver les cheveux après le bain (éviter de laisser l'enfant tremper dans l'eau savonneuse).

- Vérifier que la fillette s'essuie correctement lorsqu'elle va à la selle. Elle doit s'essuyer complètement de l'avant vers l'arrière, sans revenir avec le même papier.

- Laver les sous-vêtements avec du savon doux et les rincer à plusieurs reprises pour éliminer les détergents.

- Utiliser des sous-vêtements amples, de teinte pâle et en coton.

- Maintenir la vulve de la fillette au sec. Éponger avec une serviette, sans frotter la peau.

- Enfin, au besoin, appliquer sur les régions irritées une crème à base de zinc.

Si les symptômes persistent, n'hésitez pas à consulter votre médecin.

L'Œdipe et la phase phallique : de 3 à 5 ans

Une grande curiosité anime les enfants âgés de 3 à 5 ans. Leur vie imaginaire est très fertile et leur capacité de symbolisation et de mentalisation se développe de plus en plus. Leur langage est plus élaboré et leur permet de questionner les personnes qui les entourent. C'est une période de «pourquoi» et de «comment» qui portent sur une multitude de sujets, entre autres sur la sexualité. C'est aussi une période au cours de laquelle ils doivent apprendre à distinguer le réel de l'imaginaire, deux mondes encore parfois confondus.

Malgré son jeune âge, l'enfant découvre au cours de cette période les deux principes qui sont le fondement d'une représentation structurée de lui-même dans son rapport aux autres : une représentation claire de la distinction entre les sexes (garçons et filles) et entre les générations (adulte et enfant). C'est dans la phase œdipienne, qui débute autour de l'âge de 3 ans et qui trouve sa résolution vers la fin de la cinquième année, que ces enjeux prennent place. Et ceux-ci sont d'autant plus faciles à résoudre que l'enfant a, comme repère pour s'identifier, des adultes aux caractéristiques claires, stables et distinctes.

L'Œdipe

Entre 3 et 5 ans, on voit apparaître chez l'enfant un désir de se rapprocher du parent du sexe opposé et une certaine rivalité avec l'autre parent. C'est au cours de cette période œdipienne qu'il affirme son propre sexe, que son identité sexuelle se consolide et que s'organisent les prémisses de ce que pourra être sa trajectoire amoureuse lorsqu'il sera adulte. Le garçon avec sa mère, la fille avec son père, l'enfant noue une relation basée sur cette complémentarité, dans un désir d'exclusivité et en recherchant la reconnaissance. Il s'agit d'une période remplie d'illusions savoureuses et ponctuée de désillusions amères, mais ultimement constructives pour l'enfant. En effet, il y trouve la possibilité de mieux se définir comme garçon ou fille. Il y apprend aussi, par le refus des parents d'autoriser que les fantasmes de l'enfant deviennent réels, que certains tabous existent (tabou de l'inceste) et ne peuvent être transgressés.

Le garçon, sa maman et... son papa

Le bébé garçon crée son premier lien d'attachement et de proximité avec le corps de sa mère. C'est aussi avec elle que la relation œdipienne se joue au cours de la troisième année. Mais on peut dire que la relation œdipienne se joue souvent assez précocement entre maman et garçon. Bébé garçon dans les bras et les yeux de maman : le petit homme ! Il faut reconnaître combien le fait d'avoir un garçon et d'en être proche est souvent lié à un sentiment de fierté pour la mère, qui contemple son «petit bout d'homme». Elle se trouve devant quelque chose de nouveau, un bébé différent d'elle, avec qui elle fait la découverte d'un autre aspect des choses.

Vers l'âge de 3 ans, le garçon exprime clairement son désir d'être près de sa mère, en exclusivité. Il est affectueux, il recherche et apprécie les manifestations d'affection de sa mère, s'en enorgueillit, tant secrètement que devant son père, qu'il a l'impression de dominer alors pendant un instant. C'est le moment de ces déclarations naïves, mais tellement touchantes et authentiques : «Quand je serai grand, je vais me marier avec toi.» C'est aussi celui des allusions plus ou moins subtiles par lesquelles il déprécie son père.

Le petit garçon a besoin de se sentir accueilli dans ce mouvement par lequel il se construit comme petit homme. Maman lui communique sa tendresse et son affection et papa autorise cette complicité. Mais tout est question de dosage et papa doit aussi demeurer le plus grand et le plus fort, celui qui a accès intimement à maman parce qu'elle est sa femme. Et le garçon aura besoin de son père pour pouvoir enfin, après toutes ces années d'attachement à son premier objet d'amour, s'émanciper en se distanciant de sa mère.

La fillette, sa maman, son papa et... sa maman

Le bébé fille établit aussi son premier contact intime avec le corps de sa mère. Toutefois, c'est avec son père que l'Œdipe se jouera. Contrairement au garçon, qui reste « attaché » à sa mère de la naissance à la fin de l'Œdipe, la fille opère donc plus précocement un détachement d'avec sa mère pour porter son élan « amoureux » vers son père. Mais se détacher si vite de maman n'est pas toujours aisé, ni pour la mère, ni pour la fillette. Il s'agit là d'une importante distinction à faire entre fille et garçon.

Une autre distinction dans la relation mère-fille est conséquente au fait qu'elles sont de même sexe. Le bébé fille est comme un miroir dans lequel la mère peut se voir, parfois sans même le vouloir. Souvent, quand une femme regarde sa petite fille, c'est en partie elle-même qu'elle voit. Ainsi, toute mère peut projeter sur sa fille des histoires non résolues, et cela risque plus d'arriver avec une fille qu'avec un garçon, car celui-ci est d'emblée différent. Et à l'Œdipe, lorsque la fillette affronte maman pour se tailler une place dans le cœur de son père, cela vient parfois un peu brouiller les cartes.

Vers l'âge de 3 ans, la petite fille recherche donc l'amour et l'attention spéciale de son père. Elle se détourne et se détache de sa mère, dont elle peut aussi se concevoir bien différente. C'est d'ailleurs en pouvant définir en quoi elle est différente d'elle qu'elle pourra, à la sortie de l'Œdipe, au moment où elle prend le parti de s'identifier à elle, le faire sur des bases qui lui permettront d'être une fille comme maman, mais avec sa personnalité bien à elle. La fillette, comme le garçon, a besoin de se sentir accueillie par son père, regardée avec une affection admiratrice, et maman peux aussi jouer le jeu de ne pas lui faire ombrage inutilement. Mais il importe de remettre les pendules à l'heure afin de mettre sa fillette à l'abri de ses désirs éventuellement un peu angoissants. La fillette doit réaliser que papa l'aime beaucoup mais qu'il ne sera jamais son amoureux.

MA FILLE N'EN A QUE POUR SON GRAND FRÈRE

Que penser quand une fillette ne semble avoir d'yeux que pour son grand frère? Une maman s'interrogeait ainsi de voir sa fille exprimer tant d'admiration pour son grand frère. Est-ce possible qu'elle vive ainsi son Œdipe, plutôt que de le faire avec son papa? En fait, il est probable qu'elle l'admire et surtout qu'elle l'envie! Pour quelle raison au juste? Peut-être que ce grand frère profite d'une grande attention de la part de papa, avec qui il partage activités et centres d'intérêt; ce qu'une petite fille pourrait bien souhaiter pour elle! Surtout en plein Œdipe.

L'angoisse de castration

L'angoisse de castration est éprouvée par les enfants, garçons et filles, pour des motifs à la fois semblables et différents. Il importe de considérer cette angoisse à la fois au sens strict et au sens figuré. Bien entendu, l'angoisse de castration surgit de la prise de conscience d'une différence entre les sexes. Chez le garçon surgissent des interrogations : « J'ai un pénis alors que ma sœur n'en a pas. Comment est-ce possible ? Que lui est-il arrivé ? Où l'a-t-elle perdu ? Et que peut-il donc m'arriver à moi aussi ? » Doute terrifiant…

Et la fillette aussi se questionne : « Comment se fait-il que mon frère a un tuyau pour faire pipi et pas moi ? En avais-je un pour l'avoir ensuite perdu ? Est-ce que ça pousse en grandissant ? ». L'expérience du manque que peut faire la fille et sa déception (devant le fait de ne pas avoir de pénis) n'épargnent pas non plus le garçon qui peut aussi réagir avec déception lorsqu'il se rend compte qu'il ne pourra jamais avoir de bébé dans son ventre. Tous deux doivent renoncer au fantasme de complétude : il ne peuvent être tout à la fois, avoir les attributs de l'homme (papa) et de la femme (maman).

On considère aussi que le constat par la fillette que maman l'a créée sans pénis… sans seins… toute petite… contribue à ce qu'elle s'en distance et qu'elle recherche auprès de papa un peu de validation ; et cela marque son entrée dans l'Œdipe. Par ailleurs, l'angoisse de castration chez le garçon contribue à l'en faire sortir. En effet, elle surgit comme un effet boomerang, quand la charge agressive que l'enfant déploie contre son père rival revient le hanter, lui faire redouter une réplique. Symboliquement, cette angoisse porte le difficile constat du « je suis plus petit, j'ai moins de pouvoir et je n'y peux rien pour l'instant ». Il devient alors très rassurant et structurant pour l'enfant de voir son père intervenir et réclamer sa place auprès de la mère, tout en lui démontrant qu'il est toujours bien portant, malgré les souhaits plus ou moins subtils de l'enfant de l'écarter, de le dévaloriser, voire de l'attaquer.

SE RECONNAÎTRE COMME GARÇON OU FILLE

Vers le début de la période œdipienne, l'enfant de 3 ans est en mesure de reconnaître la différence entre les sexes, ainsi que son appartenance à l'un d'eux. Il est capable de répondre correctement à des questions comme : Es-tu un garçon ou une fille ? Es-tu pareil à cette poupée (garçon) ou comme celle-là (fille) ? Vas-tu devenir un papa ou une maman ? Vers l'âge de 5 ou 6 ans, l'enfant acquiert l'idée de la constance de son identité de genre : « Je suis un garçon ou une fille pour toujours. »

La fin de l'Œdipe : une question d'identification

Les enfants ont besoin d'entendre que leurs désirs œdipiens ne peuvent devenir réalité : les petits garçons ne peuvent épouser leur maman ou en être l'amoureux, tout comme les fillettes ne peuvent le faire avec leur papa. En amour, ce sont les grands avec les grands. Maman a déjà son amoureux, qui est le papa. D'ailleurs, on lui fait comprendre que cette règle s'applique à tous ; maman, par exemple, n'a pas épousé grand-papa, qui est son papa. Et lorsque l'enfant adopte des attitudes ou fait des gestes trop suggestifs, séducteurs ou érotisés, dont il ne comprend pas la portée et qui, rappelons-le, n'ont pas un sens adulte, il est primordial de redéfinir les limites appropriées, de façon calme mais ferme. De plus, papa ou maman peut très bien intervenir dans une situation qui concerne l'enfant et l'autre parent. Si maman insiste pour que son garçon n'essaie pas de glisser ses mains sous son chandail, papa aussi peut imposer cette limite, la formuler clairement, prenant sa place et écartant de sa conjointe ce petit concurrent. Ainsi, l'enfant a une nouvelle preuve que c'est bien entre les grands que cela se passe. C'est dans ce contexte que la résolution de l'Œdipe prend place, à mesure que l'enfant fait ses tentatives pour ressembler au parent du même sexe que lui. Cela vient entre autres du fait qu'il a compris qu'il sera comme son père ou sa mère plus tard, comme un homme ou comme une femme, et qu'il pourra alors être l'amoureux de quelqu'un d'autre. Les enfants ont besoin d'entendre que ce jour viendra ! Et avec la résolution de l'Œdipe, le surmoi de l'enfant, cette instance qui lui permet d'intérioriser et de s'approprier les principes guidant sa conduite (j'ai le droit, je n'ai pas le droit), se structure plus solidement.

L'Œdipe avec les parents séparés

La séparation des parents, lorsque de jeunes enfants sont impliqués, peut parfois receler des écueils. Lorsque cette séparation a lieu au cœur de la période œdipienne et qu'un père quitte non seulement sa conjointe mais également sa fillette (ou vice-versa, une mère laissant le père et son garçon), c'est une vraie peine d'amour qui peut être ressentie par l'enfant. En effet, il perd le parent aux yeux duquel il cherche le regard admiratif et la relation complémentaire. C'est alors lui, en tant que « petit homme » ou « petite femme » en formation, qu'il peut remettre en question. Il est important de clarifier avec lui que ce sont bien deux grandes personnes qui se quittent et tenter de préserver une intimité entre maman-garçon et papa-fillette.

Par ailleurs, les séparations ont parfois comme conséquence que la place du père, ou celle de la mère, est laissée inoccupée. Il manque un joueur à l'Œdipe et l'enfant se retrouve avec un trop grand espace qu'il n'a pas à prendre. C'est au parent qu'il revient, en l'absence d'un amoureux ou d'une amoureuse, de signifier à l'enfant l'interdit d'un rapprochement trop intime. Et même si le parent reste seul et n'a pas de relation amoureuse, l'amoureux demeure potentiel et reste présent à son esprit et donc à celui de l'enfant.

De plus, il faut rappeler l'importance que les parents séparés évitent de dénigrer l'autre parent aux yeux de leur enfant. L'enfant a besoin du parent du sexe opposé au sien comme rival dans l'Œdipe et comme figure d'identification afin de sortir de cette étape de développement. Ce processus d'identification peut devenir très perturbé lorsque maman (ou papa) renvoie une image dévalorisée de son « ex ». Comment une fillette peut-elle assumer, dans ce contexte, être une femme comme maman ou comment un garçon peut-il être un homme comme papa ?

Question de parents

▶ **Quand doit-on cesser de prendre notre bain avec notre enfant ?**

Il est assez fréquent que l'on prenne le bain à plusieurs, un parent avec son ou ses enfants, ou encore frères et sœurs ensemble. Cette pratique, économique en temps et en énergie, et surtout souvent amusante et agréable, finit par cesser. En effet, il serait plutôt étonnant de voir un grand adolescent partager son bain avec un de ses parents, ou avec sa sœur ou son frère. La plupart du temps, on cesse cette activité commune sans avoir à y penser. Le parent ne l'offre plus, l'enfant ne le demande plus. Les parents doivent donc s'adapter à l'évolution de l'enfant.

Avec le bébé ou le très jeune enfant, plus occupé à jouer avec la mousse et les jouets de bain, l'attention est rarement centrée sur la nudité de l'autre. Mais si c'est le cas, cela est momentané, le temps pour l'enfant de vouloir toucher aux parties sexuelles de l'autre, par exemple aux seins de maman. C'est alors une bonne occasion de sonder l'enfant pour savoir ce que sont ses interrogations, et surtout d'affirmer calmement qu'il ne s'agit pas d'un jouet, mais d'une partie du corps de maman à laquelle on ne touche pas comme ça. Dans la période de latence, le bain « communautaire » devient moins pertinent, surtout

(…)

(suite)

en ce qui a trait au bain papa-fillette, maman-garçon, ou frère-sœur. De toute façon, certains soins corporels prodigués par des adultes doivent cesser lorsque l'enfant est suffisamment autonome pour les faire lui-même. Les poursuivre peut susciter beaucoup d'inconfort chez les enfants.

Dans tous les cas, et quel que soit l'âge de l'enfant, il est préférable d'être attentif à son besoin d'intimité et à ses sentiments de pudeur, qu'il n'exprime pas nécessairement par des mots, mais plus souvent par de petits changements d'attitude que le parent doit détecter. Lorsque le fait d'être nu devant les autres ou de voir l'autre nu devient dérangeant ou surexcitant, mieux vaut instaurer des limites et laisser son espace à chacun.

Les jeux et les questionnements sexualisés entre 3 et 5 ans

Les jeux et les questionnements à connotation sexuelle se font plus fréquents entre 3 et 5 ans et ils laissent souvent les parents perplexes : masturbation, jeux sexuels qui s'organisent entre amis ou avec la fratrie, exploration mutuelle, désir de toucher les parties du corps des parents (seins, pénis), commentaires et questions sur la sexualité. C'est d'ailleurs à cette époque que l'enfant s'interroge sur l'origine des bébés et sur « comment » ont les fait.

Les théories sexuelles infantiles ou l'imaginaire de l'enfant face à la sexualité

Les fantasmes sont des représentations mentales qui expriment les pulsions, les désirs et les besoins qui nous animent, le plus souvent secrètement et inconsciemment. Ils rendent sensible le contenu particulier des besoins ou des sentiments qui dominent le psychisme à un moment donné[11]. Très tôt, le jeune enfant est capable d'élaborer des représentations mentales. Lorsqu'il est tout petit, avant de maîtriser le langage et les symboles, le fantasme prend source dans son corps, dans une sensation physique ou une fonction corporelle. Ainsi, les pulsions et sentiments sont représentés par des fantasmes qui leur confèrent une vie psychique et qui les révèlent. Le fantasme érotique est présent chez le jeune enfant, et on le définit comme une perception mentale ayant une capacité excitative [12].

C'est aussi par les fantasmes et les fantaisies que prennent forme les théories imaginées par l'enfant pour répondre aux questions qu'il se pose et expliquer ce qu'il ne comprend pas. Peut-être ne lui a-t-on pas encore expliqué ou n'est-il pas encore en mesure de comprendre ce qui lui a été dit, en raison de son immaturité affective ou cognitive. Pour élaborer ses théories personnelles, l'enfant utilise son imaginaire. Or, l'imaginaire enfantin est déjà empreint de tensions qui peuvent teinter les théories élaborées d'éléments inquiétants, porteurs d'angoisses parfois primaires.

Selon ses désirs et ses craintes, et allant même jusqu'à nier ce qu'il voit et ce qu'il constate dans la réalité, le jeune enfant construit ses hypothèses à partir de son propre imaginaire ainsi qu'à partir des découvertes qu'il fait sur son corps ou sur le corps des autres. Ces théories, parfois drôles et parfois «inquiétantes» pour les adultes, ont la particularité d'être satisfaisantes pour l'enfant, dans la mesure où elles lui permettent d'échafauder pas à pas, en fonction de sa maturation

11. Susan Isaacs. «On the nature and function of phantasy» *International Journal of Psychoanalysis* 1948 29: 73-97; republished in Melanie Klein, Paula Heimann, Susan Isaacs and Joan Riviere, *Developments in Psychoanalysis*. London: Hogarth Press, 1952, pp. 67-121.
12. Hanna Segal. *Introduction à l'œuvre de Mélanie Klein*. Paris: PUF, 1983.

psychologique, ce qui deviendra peu à peu une représentation du monde sexuel des adultes.

Ces théories peuvent porter sur la constitution du corps masculin et féminin. À cet égard, il arrive que l'enfant s'imagine porter les deux sexes, comme s'il était à lui seul tout à fait complet. Il peut aussi se trouver lui-même des explications sur le fait que les garçons ont un pénis et les filles non. D'autres théories peuvent concerner les bébés : ils seraient conçus par un baiser, ils vivraient tout habillés dans le ventre des mamans, ils viendraient au monde en sortant par le nombril ou par d'autres orifices connus, soit ceux pour faire pipi ou caca. Les enfants nous en apprennent beaucoup sur ce qu'ils sont prêts à entendre lorsqu'ils nous confient les théories qu'ils ont échafaudées et surtout lorsqu'ils nous expliquent sur quels indices ou renseignements ils ont basé leurs déductions.

À quoi ça sert de faire semblant ?

Vers l'âge de 2 ans, l'enfant commence à faire semblant. Il imite la voiture, le chien ; dans un premier temps, il s'agit surtout de ce qui fait du bruit. Plus tard, il imitera les personnes qui l'entourent, maman qui va travailler, papa qui conduit la voiture…

Par des jeux de rôle, l'enfant recherche la maîtrise des situations qu'il vit, qu'il subit ou qui l'intriguent. Il retire de ces mises en scène l'impression d'être grand et d'avoir un certain pouvoir, du moins durant le temps que dure le jeu auquel il participe si activement. Comme cette fillette de 3 ans qui, s'étant mise au volant de la voiture stationnée de ses parents, demandait à sa mère comment faire pour conduire. Devant la réponse décevante de sa mère (« Tu es trop petite »), elle conclut : « Alors, je vais faire semblant. » Le jeu lui laissait donc ce pouvoir de faire un choix, puisqu'elle avait cette possibilité : si je ne peux pas le faire pour vrai, je peux faire semblant !

Par ce jeu, l'enfant définit et affirme aussi son identité de petit garçon ou de petite fille, et cherche des réponses aux questions qu'il se pose, toujours curieux de comprendre ce qui l'entoure, surtout ce qui paraît le plus mystérieux. Il règle aussi ses comptes avec ses parents qui ont mis des limites à ses désirs. Il n'est pas rare que les parents, en écoutant leur enfant jouer, se reconnaissent dans les mots et le ton de la voix, ce qui s'avère parfois gênant lorsqu'il y a de la visite !

« Les enfants tirent de ces jeux un plaisir qui se fonde sur leur aptitude à s'identifier à leurs parents », explique le psychanalyste Winnicott, dans *L'enfant et sa famille*. Il se joue là une expérimentation des rôles sexuels, tant masculins que féminins. Ainsi, le petit garçon s'amuse avec les souliers de maman et la fillette, avec les bottes ou la cravate de papa. La plupart du temps, il s'agit néanmoins d'un élément de jeu transitoire, quand l'enfant a bien développé son appartenance au sexe qui est le sien. Parfois, mais rarement, cela se fait de façon plus systématique. L'enfant démontre une nette préférence pour les qualités et les attributs de l'autre sexe. Nous reparlerons plus loin de ces situations particulières.

On retrouve aussi chez les fillettes des gestes liés à l'imitation ; elles se mettent un ballon sous le chandail, prétendant se trouver soudainement enceintes, ou elles placent un objet quelconque sous leur t-shirt afin de gonfler leur poitrine et d'être remarquées.

Le plaisir de se montrer :
les comportements exhibitionnistes

Vers l'âge de 3 ans, l'enfant n'est plus indifférent au fait d'être nu ou de voir une autre personne dans cet état. Il y prend même plaisir. Il trouve amusant de se montrer, d'être vu, et de se voir beau et « au complet » dans les yeux de ses parents. Il aime courir tout nu dans la maison en sortant du bain, il peut même se laisser aller à attirer l'attention de son entourage sur ses parties intimes (regarde mes fesses, mon pénis) et le plus souvent avec une évidente fébrilité. Il y a des contextes où cela est approprié ou du moins sans conséquence ; par exemple, lorsque cela est fait par un jeune enfant et que le comportement se manifeste dans l'intimité de la famille proche. Parfois, cela l'est moins, ce qui génère un malaise : ce n'est ni le moment, ni l'endroit pour ce genre de manifestation. Il convient alors d'intervenir et de demander à l'enfant qu'il s'habille, parce que son comportement gêne les autres.

 # Question de parents

▶ Peut-on se montrer nu devant son enfant?

L'attitude des parents et des enfants envers la nudité varie grandement d'une famille à l'autre, selon la culture, les valeurs familiales et l'éducation des parents. Toutefois, on s'entend pour dire qu'il ne doit y avoir aucune ambiguïté, c'est-à-dire que le comportement de l'adulte doit être dépourvu de toute connotation sexuelle. Mais si la situation paraît claire aux yeux de l'adulte, ce n'est pas toujours le cas pour les petits. En effet, dès l'âge de 2 ans, les rapprochements corporels peuvent être excitants pour l'enfant, même si l'adulte pense avoir des attitudes non sexualisées. Il est donc important d'ériger certaines frontières entre son corps et le vôtre, frontières par lesquelles on évite les contacts ambigus, du point de vue du parent, mais surtout du point de vue de l'enfant.

Les caresses, bisous et câlins doivent évidemment garder leur place, avec un enrobage qui marque bien qu'il s'agit d'un contact affectueux, tout simplement. Puis, lorsque l'enfant devient plus pudique, entre les âges de 5 et 12 ans, et qu'il est embarrassé par la nudité, la sienne ou celle des autres, on tente de déceler cette gêne, de la comprendre et de la respecter, afin d'adapter sa conduite en protégeant la sensibilité que l'enfant exprime.

L'auto-érotisme chez le petit enfant

Chez l'enfant de 3 à 5 ans, l'activité masturbatoire, géné-ralement occasionnelle, se dirige plus spécifiquement vers la recherche d'un plaisir auto-érotique, tout en étant grandement motivée par une recherche de détente et de réconfort. De cette façon, l'enfant dirige sur lui-même une partie de son désir, se procurant du bien-être, contribuant à un sain investissement narcissique de sa personne. On peut voir ici un lien avec l'es-time de soi, l'enfant devenant capable de s'investir lui-même. À cet égard, on a observé que les enfants très carencés n'avaient pas d'activité masturbatoire, mais que leurs activités relevaient plutôt de l'autostimulation, par exemple se balancer le corps pour «s'engourdir» plutôt que de se donner du plaisir pour soi-même et ainsi s'investir. D'autre part, certains enfants ne se masturbent pas et il n'y a pas lieu de s'en inquiéter non plus. Il s'agit en effet d'une activité dont la fréquence varie, tout simplement.

Vers la troisième année de vie de l'enfant, les activités mas-turbatoires sont souvent accompagnées de fantasmes. Il est possible que certaines images mentales, lors d'une activité masturbatoire, aient déjà une valeur érogène et augmentent l'excitation. Certaines images ne sont pas érogènes au départ, mais le deviennent parce qu'elles apparaissent lorsque l'enfant est dans un état d'excitation provoqué par une activité mastur-batoire.

Question de parents

▶ **Comment réagir quand son enfant se masturbe ?**

La masturbation rend certains adultes mal à l'aise. Ils y voient une « mauvaise habitude » et s'interrogent sur la normalité de ce comportement et sur les limites à y donner.

Une attitude trop restrictive ou punitive des parents peut amener l'enfant à renoncer à ses activités masturbatoires, mais ce dernier risque aussi de développer un sentiment de culpabilité envers le plaisir sexuel. Certains enfants peuvent décider de passer outre l'interdit parental et garder ces activités secrètes, mais cela risque de provoquer chez eux un conflit intérieur. Le parent qui interdit catégoriquement à son enfant de toucher à ses organes génitaux peut perturber sa sexualité.

D'un autre côté, certains parents hésitent à encadrer ce comportement ou en parlent trop, dans le but parfois que l'enfant vive une sexualité épanouie, sans culpabilité, en connaissant mieux son corps. Ce dernier peut vivre cette situation comme une violation de son intimité ou comme un encouragement à multiplier cette activité, ce qui risque de provoquer une « surstimulation » sexuelle.

(…)

(suite)

La meilleure marche à suivre, lorsqu'on surprend son enfant à se masturber en public (au salon, par exemple) est de lui expliquer qu'il y a des endroits appropriés pour cela. Qu'il s'agit d'une activité qui n'est pas une nécessité et que, de toute façon, ce geste sexuel doit se vivre en toute intimité.

Pour que l'enfant comprenne, on peut faire un parallèle avec d'autres gestes intimes, comme celui d'aller aux toilettes ou de se déshabiller. « Si tu as envie de faire pipi et que tu es dans le salon avec d'autres personnes, tu ne vas sûrement pas baisser tes culottes et faire pipi devant tout le monde ! Se toucher les parties « privées » est un geste intime que tu peux faire dans ta chambre, lorsque tu es seul, mais qui n'est pas intéressant pour les autres personnes autour de toi. »

Plus tard, dans la période de latence, l'enfant est généralement plus discret puisqu'il a intégré la notion d'intimité. Une fois qu'on a expliqué à l'enfant qu'il peut se retirer dans sa chambre, on s'attend à ce que le parent respecte aussi cette intimité et qu'il ne se rende pas à la porte de la chambre sur la pointe des pieds. Toutefois, si l'on juge que l'enfant s'isole trop souvent ou trop longtemps pour s'adonner à une activité masturbatoire, il faut chercher à le tirer de cet isolement afin qu'il investisse quelque chose de plus constructif. La masturbation compulsive est souvent liée à l'anxiété qu'elle vient apaiser. Trouver la source de cette anxiété et chercher à occuper l'enfant par une activité qui suscitera son intérêt lui permettra de passer à autre chose.

À quel âge faut-il intégrer des notions de pudeur dans l'éducation ?

Les critères qui définissent ce que l'on garde privé, caché au regard des autres, diffèrent grandement d'une famille à l'autre. Et hors de son milieu familial, l'enfant est parfois confronté à d'autres attitudes ou à d'autres règles. Il est alors important de s'assurer qu'avant d'entrer en maternelle, le jeune enfant sait faire la différence entre l'intérieur (de la maison, de soi-même) et l'extérieur (la garderie, l'école, les autres). En intégrant des comportements pudiques, respectueux de lui-même et des autres, l'enfant est plus à l'abri de comportements qui lui vaudraient des réprimandes ou qui le mettraient en danger.

 **Questions d'enfants**

▶ **Qu'est-ce que ça veut dire « faire l'amour » ? C'est quoi des « relations sexuelles » ?**

Faire l'amour ou avoir des relations sexuelles, c'est semblable, expliquera-t-on. Cela veut dire se donner des câlins et des caresses particulières qui sont agréables à donner et à recevoir. Ces caresses sont réservées aux adultes qui s'aiment beaucoup, seuls les parents et les amoureux font ces gestes.

(…)

(suite)

Si l'enfant demande : « C'est quoi les câlins et les caresses particulières ? », on lui répondra que les amoureux sont placés l'un contre l'autre et qu'ils se font des caresses partout sur le corps, que cela est agréable pour les deux, mais que c'est réservé aux adultes.

▶ **Comment fait-on les bébés ?**

Inévitablement, les petits s'interrogent sur l'origine des bébés. On doit leur présenter une information à la fois fiable, simple et concise. Pour faire un bébé, il faut un papa et une maman. Le papa donne une petite graine qui rencontre un petit œuf dans le ventre de la maman. Cette petite graine et ce petit œuf, mis ensemble, deviennent un bébé qui se développe tranquillement dans le ventre de la maman, dans un sac qu'on appelle l'utérus, un sac qui protège le fœtus, le garde au chaud et où il est nourri pendant neuf mois avant qu'il soit prêt à sortir.

▶ **Comment la graine du papa et l'œuf de la maman se rencontrent-ils dans le ventre de la maman ?**

Les enfants un peu plus vieux posent souvent cette question. Et il faut bien leur communiquer cette réalité, puisque de toute façon, il s'agit d'un processus naturel et surtout pas surnaturel. Les enfants comprennent que la fécondation se produit en faisant l'amour, en ayant une relation sexuelle. Pour ce faire, le pénis du papa entre dans le vagin de la maman. Plus tard, on leur expliquera qu'il y a du liquide qui sort du pénis du papa et qui contient la graine. Ce liquide permet à la graine de se rendre jusqu'à l'œuf, dans le ventre, ou plus précisément dans l'utérus de la mère. À l'âge scolaire, quand les enfants ont besoin d'explications plus scientifiques, on leur parle de spermatozoïdes et d'ovule. Quant aux préados, il faut commencer à leur parler de contraception. Il est important de dire au garçon qu'il n'a pas encore de graines ou de spermatozoïdes qui sortent de son pénis et que cela se produira lorsqu'il sera grand. Et on indiquera à la fillette que, si elle le désire, elle pourra faire des bébés lorsqu'elle sera grande.

▶ **Comment le bébé sort-il du ventre, par où passe-t-il ?**

Tu te rappelles que, pour faire un bébé, papa doit mettre son pénis dans le vagin de maman pour déposer le spermatozoïde. Lorsque le bébé est prêt à naître, il quitte le ventre de la maman et il sort par le vagin, qui est fait pour cela. Le vagin sert en quelque sorte d'entrée et de sortie au bébé.

▶ **Pourquoi les femmes ont-elles des seins ?**

En fait, les femmes et les hommes ont des seins. Ceux des petites filles vont grossir, contrairement à ceux des garçons. Lorsqu'une femme a un bébé, ses seins produisent naturellement du lait, pour nourrir son petit.

(…)

(suite)

▶ **Est-ce que mon pénis va pousser ?**

Le garçon se demande parfois si son pénis va rester
petit toute sa vie. On peut lui expliquer que, depuis sa
naissance, toutes les parties de son corps ont grandi,
même son pénis. Que tout son corps va continuer à
grandir, jusqu'à sa pleine puberté, quand il sera un
grand adolescent. On peut ajouter que tous les
garçons ne grandissent pas au même rythme, que les
garçons n'ont pas la même taille de jambe, de pied et
que c'est la même chose pour le pénis.

▶ **Pourquoi mon pénis grossit-il ?**

Il y a plusieurs raisons qui font grossir ton pénis.
Parfois, il grossit quand tu as très envie de faire pipi.
Parfois, il grossit quand tu le touches, en prenant ton
bain ou à d'autres moments, et quand cela fait des
chatouilles agréables dans ton pénis. C'est normal,
cela arrive à tous les petits garçons et on appelle cela
« avoir une érection ».

CHAPITRE 3

LE DÉVELOPPEMENT PSYCHOSEXUEL DE 6 À 12 ANS

▼

La période de latence

Après la période de sentiments intenses qu'il a traversé au moment de l'Œdipe, l'enfant d'âge scolaire entre dans une période qu'on appelle la latence. Il s'agit du plus long stade de l'enfance, qui va de 5 ans jusqu'à 11 ou 12 ans. C'est une accalmie entre deux tempêtes, celle qui la précède (le stade phallique, avec son « drame œdipien ») et celle qui la suit (la puberté, avec ses « crises » d'adolescence).

Dans la période de latence, l'identification sexuelle se consolide et se raffine, en même temps que l'enfant élargit ses connaissances et devient plus compétent, car il investit les domaines du social et du scolaire. Sa poussée pulsionnelle diminue et son moi se développe. Son surmoi est bien établi et apte à faire des compromis acceptables entre ses désirs et les exigences de la réalité au nombre desquelles on retrouve celles des parents.

La pudeur : un trait bien caractéristique des 6-12 ans

Au cours de cette période, l'enfant manifeste de plus en plus un besoin d'intimité au sein de la famille. Il ressent de l'embarras lorsqu'il est question de sexualité et son rapport à la nudité a changé. L'enfant ferme les portes de la salle de bain et de la chambre à coucher, il se cache pour se changer, etc.

Pour certains, les témoignages d'affection deviennent aussi gênants : désormais, les sentiments et la tendresse exprimés verbalement suffisent pour prouver aux parents qu'on les aime. Pas besoin de se toucher et, surtout, pas de becs de maman devant les amis ! C'est aussi l'âge où le fait d'embrasser sur la bouche, geste usuel dans certaines familles, change de signification et devient un geste au potentiel plus sexualisé que l'on devrait éviter.

Il est important de respecter cette pudeur, de ne pas s'en moquer, en rire ou la faire remarquer en public, puisqu'on exposerait ainsi l'enfant au regard des autres alors qu'il cherche justement à s'isoler et à être respecté dans son intimité. N'est-il pas en train de construire peu à peu son propre territoire ?

Sur le plan des sentiments, l'intimité se développe également ; des pensées secrètes se retrouvent dans le journal intime, on échange des billets entre amis. Les enfants acquièrent progressivement une pensée autonome ; ils gardent une partie de leurs pensées secrètes et en confient une partie à des proches. Ce faisant, ils s'affirment comme des êtres distincts.

Le développement intellectuel ou l'âge de raison

La curiosité sexuelle, qu'on a observée chez le petit enfant, se transforme et se sublime en curiosité intellectuelle. Celle-ci prend la forme d'une recherche de connaissances dans une foule de matières scolaires (français, mathématiques, histoire) et d'activités parascolaires (maîtrise d'un sport, expression artistique). La pensée magique a laissé la place à la pensée logique et abstraite, et cela entraîne l'enfant vers de nouveaux questionnements. Ce qu'on appelait jadis «l'âge de raison» correspond à cette période où l'enfant concentre son énergie et son attention sur l'acquisition de connaissances, le développement de liens sociaux et la découverte de ce qui l'entoure.

Pendant cette période de latence, les parents ont surtout pour rôle éducatif d'aider l'enfant à développer ses centres d'intérêt en l'exposant à toutes sortes de sujets et d'activités, et en s'y intéressant avec lui. Au cours de ces différentes expérimentations, la personnalité de l'enfant s'affirme et ses goûts personnels se manifestent. Il devient compétent et connaissant, et il aime se faire valoir par l'intermédiaire des activités ou des sujets qui l'intéressent.

Les activités de groupe intéressent et motivent l'enfant, mais celui-ci aime aussi se concentrer sur des projets personnels, où il peut mettre à l'épreuve ses aptitudes et ainsi se dépasser. La tendance à se faire valoir, qui mène parfois à une surenchère, provient souvent d'une pression des compagnons, qui incitent le jeune à se comporter d'une certaine manière pour être « cool » et bien considéré dans le groupe.

Si la pulsion sexuelle est peu apparente durant la latence, elle n'en est pas moins présente et active. Il est donc faux de prétendre que l'enfant n'éprouve plus d'intérêt pour la sexualité. Mais cet intérêt est moins accentué ou il profile plus discrètement.

Ainsi, par le mécanisme de « sublimation », l'énergie et l'intérêt sexuels sont canalisés et dirigés vers des buts qui sont valorisés par l'enfant, sa famille et la société. Certaines activités sportives et physiques permettent des contacts corps à corps, les fantasmes de la vie inconsciente peuvent s'exprimer dans une activité créatrice comme le théâtre, le dessin, ou dans les jeux symboliques.

La sexualité peut aussi se vivre « à l'envers », dans un mouvement où tout ce qui la concerne est perçu comme quelque chose de dégoûtant. Au cours de cette période, on observe chez l'enfant des réactions de chahut, de rires et d'opposition non franche à l'adulte, par lesquelles il tourne en dérision ce qui le gêne.

On détecte aussi la sexualité dans des comportements occasionnels de désinhibition, comme s'il se produisait parfois de petites brèches dans les mécanismes de défense : masturbation occasionnelle en privé, jeux sexuels secrets avec des compagnons au cours desquels les enfants se touchent ou se regardent mutuellement. Notons que ces activités sont hétérosexuelles ou homosexuelles, sans que cela indique une future orientation sexuelle.

Le développement social : « les gars avec les gars, les filles avec les filles »

L'enfant sait maintenant exactement à quel sexe il appartient et un sentiment de constance s'est développé relativement à son identité sexuelle : « Je suis un garçon ou une fille, et je le demeurerai. » Cela s'affirme souvent dans le choix de ses vêtements et d'activités qui le définissent. Sa perception de ce qu'est un homme et ce qu'est une femme est souvent assez stéréotypée et peu nuancée. Ceci est lié à son besoin de repères clairs et vise à minimiser les ambiguïtés possibles entre masculin ou féminin. Les nuances viendront plus tard lorsqu'il se connaîtra mieux lui-même.

Il est maintenant très attentif au respect des conventions sociales relatives aux sexes, tant pour lui-même que pour autrui. De plus, le sentiment d'appartenance à un groupe compte beaucoup pour lui. L'enfant découvre ce qui le caractérise et ce qui le distingue des autres, et il s'évalue souvent à partir de l'image que le groupe lui renvoie. L'enfant comprend également que pour se faire accepter, il doit respecter les règles et les valeurs propres à son groupe. C'est la période des amitiés très fortes, les camarades devenant d'importants soutiens identificatoires.

Entre 5 et 12 ans, les enfants se regroupent avec leurs semblables : les gars avec les gars, les filles avec les filles. Ainsi regroupés, ils se reconnaissent, s'identifient les uns aux autres et se mettent à l'abri des jeux de séduction. Dans leurs contacts avec l'autre sexe, certains en viennent à faire preuve d'un certain chauvinisme : les gars sont meilleurs que les filles, ou vice-versa. Il s'agit de prouver aux autres et à soi-même qu'on est un « vrai » gars ou une « vraie » fille. Les contacts avec le sexe opposé peuvent être des sujets de moquerie au sein du groupe de pairs. Est-ce à dire que les enfants se désintéressent alors totalement de l'autre sexe ? En fait non, mais cet intérêt s'exprime temporairement d'une façon contraire, sous la forme d'un certain antagonisme, les filles critiquant les garçons et les garçons faisant de même avec les filles. Dans la période de latence, les enfants ont besoin d'admirer des héros, des modèles, souvent du même sexe que le leur. Dans ce processus par lequel ils continuent à se définir, ils ont tendance à s'identifier à des personnages habiles, puissants et intelligents. Ces modèles contribuent à compenser le sentiment d'impuissance que l'enfant ressent devant le monde des adultes. Plus jeune, l'enfant choisissait ses héros dans la famille ; papa ou maman, le grand frère ou la grande sœur. Maintenant, il se tourne vers ses compagnons et cherche celui ou celle que tout le monde aime, admire ou qui fait ce que les autres n'osent pas faire.

C'est dans ce registre un peu admiratif que se situe aussi l'attachement privilégié avec le meilleur ami ou la meilleure amie. Il s'agit d'une relation privilégiée et « homosexuelle », empreinte de complicité et de tendresse. Qu'on pense à cette intense camaraderie qui unit deux ou trois amis qui se préparent à jouer un tour ou à partager une activité, ou encore aux retrouvailles souvent plus expressives des filles, qui s'enlacent affectueusement le matin dans la cour de récréation… Bien sûr, ces relations privilégiées sont changeantes, les alliances se font et se défont. Toutefois, certaines durent longtemps et sont vécues sous le signe de la fidélité. Il est bon, à l'âge adulte, d'avoir gardé des liens avec des amis d'enfance ; la connivence a alors une saveur toute particulière.

Les amours enfantines

De nombreux parents sont très surpris de découvrir ou d'apprendre que leur enfant est amoureux. Nous sommes dans la période où les enfants se passent timidement et discrètement des mots doux en classe ou ont recours à un copain comme messager. On assiste alors à la formation de couples qui durent peu de temps et qui sont basés sur une attirance ayant peu à voir avec celle qu'on retrouve chez les couples adolescents ou adultes ; il s'agit toutefois d'une sorte de préparation à ce qui se passera plus tard. Les parents craignent parfois de voir leur enfant « s'investir » si jeune dans une relation « amoureuse » ; ils ont peur que leur petit ait de la peine ou encore qu'il s'adonne à des jeux sexuels.

Encore faut-il savoir ce que cela signifie pour l'enfant que d'avoir un « amoureux » ou une « amoureuse » ! Pourquoi ne pas lui demander ce qu'il aime chez l'autre, ce qu'ils font lorsqu'ils sont ensemble. En général, ces couples enfantins ont surtout pour but de partager des activités communes, de rire et de jouer, mais peuvent aussi être motivés par le besoin d'attention ou la peur d'être seul. Cette découverte du sentiment amoureux est aussi pour les parents une occasion en or de parler à son enfant de l'amour, du respect et de ce qu'il peut trouver dans une relation privilégiée avec l'autre. Ces « élans enfantins sont les fondements sur lesquels s'élaboreront les élans de l'adulte » que l'enfant deviendra, rappelle Stéphane Clerget[13]. Et bien qu'ils puissent nous paraître naïfs, les sentiments amoureux des enfants sont sincères. Les déceptions et les peines d'amours, même chez les plus petits, sont souvent vécues avec une intensité qu'il ne faut pas sous-estimer.

13. Stéphane Clerget. *Nos enfants aussi ont un sexe : comment devient-on fille ou garçon ?* Paris : Robert Laffont, 2001.

Comment réagir si votre enfant est « amoureux » ? Pour commencer, il faut se compter chanceux qu'il vous en parle, car il s'agit de précieuses confidences. Il faut donc l'écouter sans diminuer ou amplifier la situation. Surtout ne pas en rire, le ridiculiser ou le taquiner en public. S'il ne veut pas en parler, le respecter mais demeurer attentif aux signes de malaise ou de tristesse.

La sexualité : encore présente, mais autrement

Bien qu'ils soient plus discrets, les jeux sexuels font encore partie du développement normal de l'enfant de cet âge. Il s'agit d'une façon qui lui est propre d'affirmer son rôle sexuel et de trouver réponse à ses questions. À moins qu'elles s'accompagnent de signes inquiétants, dont il sera question au chapitre 4, il convient d'éviter de donner à ces activités exploratoires et ludiques une signification d'adulte.

Dans la période de latence, des jeux et des activités de curiosité et d'exploration du corps sur soi-même ou entre amis surviennent de façon hétérosexuelle ou homosexuelle, sans que cela indique une orientation sexuelle précise. L'enfant peut s'adonner à de l'exploration par le jeu et à des séances de masturbation en privé, et même parfois avec les amis. Il expérimente ainsi de nouvelles sensations (plaisir, décharge de tensions), il cherche à obtenir de l'information et à élargir ses connaissances et son vocabulaire. On peut également observer les enfants qui imitent ce qu'ils conçoivent de la sexualité adulte, que ce soit par des mots, par des sons ou par des interactions à deux au cours desquelles ils « font l'amour » ou « le sexe ». Ainsi, on retrouve deux enfants couchés l'un sur l'autre, tout habillés. Bien que cette position soit évocatrice pour les adultes, il n'est pas évident du tout que cela s'accompagne pour eux d'une représentation de la pénétration. À ce stade, la sexualité est alimentée par des fantasmes, ces petites histoires qu'on se raconte à soi-même, et les pulsions sexuelles s'expriment aussi par les voies détournées que sont les rêves et les cauchemars.

Immanquablement, les discussions sur la sexualité font l'objet de plaisanteries. Chez les enfants, on voit également se manifester un intérêt temporaire pour des mots obscènes et des blagues vulgaires dont ils ne comprennent pas toujours le sens. Ils s'amusent à « étirer » les limites en disant de gros mots et en racontant des histoires osées. Cela se fait parfois avec légèreté et fébrilité, et les parents peuvent en rire un peu. D'autres fois, cela est fait par provocation, avec une pointe d'arrogance, et il est alors pertinent d'inciter l'enfant à s'arrêter. Sans s'offusquer ou en faire un plat, il est bon de rappeler que certains mots ou propos heurtent les autres, s'avèrent offensants ou dérangeants, et que nous pouvons nous en passer. Mais il est bon aussi de savoir se remettre soi-même en question et se demander si l'enfant n'est pas en train d'imiter ou de répéter des propos entendus… à la maison. Il appréciera alors qu'on s'en excuse avant de lui faire la morale !

La sexualité fait partie des nombreuses sphères où l'enfant se mesure aux autres. C'est dans ce contexte que les jeunes se lancent des défis sur le mode du jeu « Qui fait pipi le plus loin ? » ou encore « Vérité ou conséquence ». Rappelons-nous de la tournure sexualisée des questions auxquelles nous répondions en disant la vérité ou en acceptant de subir les épreuves imposées.

Ces jeux sont souvent une manière détournée de s'informer. D'ailleurs, les questions qu'ils posent aux adultes deviennent plus précises, sont formulées sur un mode plus scientifique et portent souvent sur la conception et la naissance. Profitant de réponses détaillées, l'enfant commence à éliminer plusieurs idées fausses qu'il a entretenues et qui sont probablement teintées des fantasmes primitifs de la petite enfance. Une partie de la curiosité et du questionnement sexuel touche les relations amoureuses hétérosexuelles et homosexuelles. C'est ainsi que l'enfant commence à prendre conscience de la notion d'orientation sexuelle ; les jeunes comprennent alors qu'il existe des relations amoureuses entre personnes de même sexe. Par ailleurs, vers la fin de cette période, certains enfants commencent à faire un lien entre l'activité de reproduction et le plaisir sexuel. Auparavant, ils pouvaient penser que le nombre de fois que leurs parents avaient fait l'amour correspondait tout juste au nombre des enfants qu'ils avaient conçus : « Une fois pour moi et une fois pour ma sœur »…

Question de parents

▶ **Devons-nous expliquer à notre enfant ce qu'est l'homosexualité ?**

Les enfants d'âge scolaire ont généralement eu l'occasion d'entendre parler de ce sujet. Si ce n'est pas à la maison, ce sera dans la cours de récréation ou à la télévision. Que ce soit par le biais d'expressions entendues, souvent désobligeantes (tapette, pédé, fifi), ou par les images transmises par les médias, qui sont souvent stéréotypées et ne reflètent pas toujours la réalité, les enfants se retrouvent avec une information qui laisse à désirer. En abordant ce thème avec eux, on doit leur parler de tolérance, d'acceptation et de respect des différences. On peut ainsi lutter contre les préjugés.

À la question « Ça veut dire quoi être *gay* », on peut répondre à l'enfant qu'il arrive que deux personnes de même sexe s'aiment beaucoup et forment un couple. Comme tous les amoureux qui s'aiment, ils se font des câlins et peuvent choisir de vivre leur vie ensemble.

Les jeux de rôles: persistance et évolution

Les jeux symboliques, leur forme et leur contenu, «grandissent» avec les enfants. L'utilisation qu'ils en font varie selon l'âge et les intérêts nouveaux qu'ils développent et qu'ils ont besoin d'exprimer. À cette période, le jeu symbolique se fait souvent en groupe et sert de moyen de socialisation. C'est comme une pratique de ce que sera sa vie en société plus tard. Avec le développement de l'imagination, l'enfant n'imite pas seulement des scènes de la vie quotidienne, mais il explore également des mondes différents; un drap et des chaises deviennent une tente dans le Sahara ou un grand chapiteau, une cabane dans un arbre est un vaisseau spatial ou un abri anti-bombe. Fréquemment, les fillettes de 6 à 9 ans jouent encore à des jeux de rôles qui rappellent la fonction maternelle. Poupées et toutous sont aimés et chéris, traités avec tendresse et ont une grande importance pour elles.

Le développement physiologique à la période de latence

De 6 à 9 ans, l'enfant grandit vite et par bonds. Il est prépubère, mais son corps évolue toujours. Déjà, par petites doses, on peut préparer les jeunes aux phénomènes à venir, comme les menstruations et l'éjaculation nocturne. Il s'agit de sensibiliser l'enfant prépubère aux changements corporels et sexuels qui surviendront bientôt, afin qu'il se sente à l'aise dans son cheminement sexuel et qu'il ne soit pas pris au dépourvu par son propre corps.

 # Questions de parents

▶ **Ma petite fille a des pertes vaginales. Que faire ?**

Avant la puberté, les pertes vaginales (écoulements) signifient parfois la présence d'une infection, particulièrement si ces pertes sont abondantes. Elles s'accompagnent alors de rougeurs à la vulve; on parle donc de vulvo-vaginite. En présence de grosses rougeurs, l'enfant peut aussi se plaindre de brûlements lorsqu'elle urine.

Un bain de siège peut aider (simplement asseoir l'enfant dans l'eau du bain pendant une dizaine de minutes, sans savon ni autre produit). Si les rougeurs et les pertes persistent ou sont récurrentes, ou encore si l'enfant a récemment souffert d'un mal de gorge ou de fièvre, il vaut mieux consulter son médecin.

▶ **Ma fille de 8 ans me dit que son sein droit est plus sensible et plus visible que l'autre. Est-ce normal ?**

Les seins d'une jeune fille se développent parfois à un rythme différent, ce qui peut les rendre asymétriques. La poussée est souvent unilatérale, pouvant mettre plusieurs mois, voire une année pour devenir symétrique. Il est normal, vers l'âge de 8 ou 9 ans, et parfois plus tôt ou plus tard, selon le moment où la puberté débute chez votre enfant, que celle-ci ressente des picotements ou de la tension, au moment où pousse le bourgeon mammaire. Si vous êtes inquiète pour votre fille, n'hésitez pas à contacter votre médecin.

▶ **Peut-on contracter des infections transmises sexuellement en s'assoyant sur un siège de toilette ?**

Les infections transmissibles sexuellement (ITS), autrefois appelées maladies vénériennes ou MTS, font partie des maladies infectieuses que l'on retrouve chez les enfants aussi bien que les adultes. Elles peuvent être causées par des virus, des bactéries ou des parasites. Les principales ITS sont la chlamydia, la gonorrhée, la syphilis, l'infection à Trichomonas, et aussi l'herpès génital, les condylomes (causés par les virus HPV) et quelques autres. On appelle ces maladies ITS parce qu'elles se transmettent surtout par contact sexuel, c'est-à-dire qu'elles nécessitent un contact très intime, généralement muqueuse contre muqueuse. Les agents infectieux en cause ne peuvent survivre longtemps, et surtout pas sur des objets ou des surfaces comme un siège de toilette ou une poignée de porte.

Si vous êtes inquiets à ce sujet, consultez votre médecin. La plupart des ITS se guérissent grâce à un traitement médical approprié.

La préadolescence : 10-12 ans

Il n'y a pas si longtemps, les choses étaient plus simples. L'adolescence commençait avec la puberté, au moment de la transformation de l'enfant en adolescent, vers l'âge de 12 ans. Maintenant, on considère qu'il existe une étape intermédiaire, la préadolescence, qui commence avec l'amorce de la puberté (plus précoce aujourd'hui) et qui se poursuit jusqu'à l'adolescence. Il s'agit d'une période de deux ou trois ans, qui débute entre 10 et 12 ans, et au cours de laquelle l'enfant semble avoir atteint un certain équilibre et consolide ce qu'il a déjà acquis.

On pourrait dire que l'enfant est arrivé au stade de maturité le plus achevé de l'enfance, juste avant de commencer à éprouver les tensions de l'adolescence. Il a mûri, il est plus autonome et parfois plus affirmé, et des mouvements pulsionnels nouveaux apparaissent sans qu'il puisse encore les identifier. Il commence à adopter la culture adolescente et à calquer son comportement sur celui des ados. Toutefois, il ne peut encore agir de façon aussi autonome que l'adolescent et, sur le plan sexuel, il n'est pas actif ou, du moins, c'est ce qu'on lui souhaite.

À cette période, l'enfant vit beaucoup de sentiments ambivalents qui fluctuent rapidement. Ainsi, selon les moments, il se sent petit ou grand, autonome ou dépendant, exubérant ou renfermé, intrépide ou timide, solitaire ou social, tout-puissant… On peut le voir réclamer de nouveaux privilèges de grand, mais se coucher en serrant contre lui son doudou ou son toutou, auquel il n'a pas encore vraiment renoncé.

Cette période permet aussi aux parents d'anticiper l'adolescence. Tant pour le jeune que pour ses parents, il s'agit d'un temps de préparation avant les grands changements.

Le développement physiologique : la puberté

La puberté, ou plus exactement la période pubertaire (car la transformation ne s'accomplit pas brusquement), correspond au passage du statut physiologique de l'enfant au statut physiologique de l'adulte et débute quand se développent les caractéristiques sexuelles secondaires. Entre l'âge de 9 et 12 ans, les enfants commencent leur puberté. On constate depuis deux générations que le développement corporel est plus précoce de génération en génération : ainsi, les filles ont leurs premières menstruations en moyenne huit mois plus tôt que leurs mères. Ce changement est essentiellement dû à l'amélioration des conditions sanitaires et de l'alimentation.

Ce sont les hormones qui mettent en marche les grands changements de la puberté. Le cerveau déclenche la production d'hormones qui passent dans le sang, atteignent les diverses parties du corps et induisent les changements qui permettront au garçon et à la fille de devenir fertiles. Ces transformations physiques suscitent une multitude d'interrogations. Toutefois, comme beaucoup de ces questions concernent ce qu'il vit très intimement dans son corps, il éprouve souvent une gêne à les formuler. Les bases d'une bonne communication avec ses parents ont été établies auparavant. Il lui sera facile de trouver des réponses, la fille se sentant plus à l'aise avec sa mère et le fils avec son père. Le jeune peut également en discuter avec un grand frère ou un ami devenu confident.

Les filles voient leurs seins se développer progressivement, et les poils apparaître au pubis et aux aisselles. Les glandes sudoripares s'activent (dans la région génitale et axillaire) et les organes génitaux internes (ovaires, utérus, vagin) et externes (lèvres, clitoris) prennent du volume. Les menstruations débutent en moyenne vers l'âge de 12 ans, même s'il n'est pas anormal qu'elles commencent plus tôt ou plus tard. Il est donc souhaitable que la jeune fille sache à quoi s'attendre et qu'elle ait été informée avant !

Question de parents

▶ **Quand doit-on parler de menstruations aux petites filles?**

Vers l'âge de 7 ou 8 ans, il est important de parler aux fillettes des menstruations, de répondre à leurs questions et de les rassurer quant à leurs craintes. On peut leur expliquer qu'à partir d'un certain âge, le corps des filles se prépare tous les mois à faire des bébés. On peut alors préciser que c'est dans l'utérus que se développe le fœtus et que, lorsqu'il n'y a pas de bébé, l'enveloppe dans laquelle grandit le bébé s'élimine d'elle-même en laissant couler du sang. Il est pertinent de dire avec insistance qu'il s'agit d'un phénomène naturel et que ce qui sort du corps n'est pas «malpropre», et qu'on utilise des serviettes hygiéniques ou des tampons pour ne pas salir les vêtements. On peut mentionner que les filles ressentent parfois des sensations déplaisantes, sans aller jusqu'à dire qu'il est possible qu'elle ressente aussi des crampes terribles! On avisera, le cas échéant…

Avec les menstruations, c'est la fécondité qui se concrétise chez la fille. Un aspect de sa vie «intérieure» se manifeste et devient enfin visible après être longtemps resté mystérieux et inaccessible. D'ailleurs, les menstruations sont un signe précis d'accès à la féminité, alors que le garçon ne dispose pas d'un indicateur aussi clair pour marquer le développement de sa masculinité. De plus, avec l'arrivée des règles et les soins d'hygiène devenus nécessaires, la fille développe un nouveau rapport à son corps. La région vaginale devient plus lubrifiée, particulièrement lorsque survient une excitation sexuelle. Il s'agit d'une sensation avec laquelle les fillettes peuvent se sentir mal à l'aise au début. On peut alors leur expliquer que cette région du corps est tout simplement une muqueuse, tout comme la bouche, un milieu humide qui ne manque en rien de propreté, bien au contraire.

Chez le garçon, l'hormone principale est la testostérone. C'est elle qui fait pousser les poils du visage, de la poitrine, des jambes et des aisselles. C'est elle qui induit le développement des organes reproducteurs externes, c'est-à-dire du pénis et des testicules. La testostérone donne la capacité de produire des spermatozoïdes. Tôt ou tard, le garçon fait donc l'expérience de l'éjaculation, qui se produit souvent durant son sommeil et qu'on appelle communément les émissions nocturnes. Il est important de discuter avec lui de cette manifestation physique afin d'éviter que, mal informé, il se réveille en sueur durant la nuit ou au petit matin avec une sensation d'humidité visqueuse sans comprendre ce qui lui arrive et en éprouvant honte et dégoût. Devant tous ces changements parfois angoissants, les jeunes se rassurent quand ils apprennent à les considérer d'une manière optimiste, sans dégoût pour eux-mêmes, pour leurs pensées, et pour ce qui sort de leur corps, sang menstruel ou sperme.

L'importance de l'image corporelle

Le corps des jeunes préadolescents se transforme mais toutes les parties ne grandissent pas simultanément ce qui peut donner temporairement une impression de déséquilibre physique. Parfois, le jeune se questionne sur la normalité de la forme de son corps, y compris de ses parties sexuelles. Le jeune, inévitablement, compare son corps à celui des amis dont le rythme de développement est différent. Tout est sujet à comparaison, nez, taille, poids et même le pénis ou les seins.

De plus, l'angoisse ressentie devant l'étrangeté de son nouveau corps rend le jeune extrêmement sensible aux remarques d'autrui. Pour un préado et un ado, le corps est surtout vu par les autres. Si les filles éprouvent une certaine fierté à voir leurs seins se développer, le fait d'être plus visiblement sexuée peut les amener à éprouver gêne et honte, surtout quand elles doivent subir des commentaires de leur entourage. Elles n'ont pas besoin qu'on s'exclame, avec un sourire en coin : « Ça pousse, ça pousse ! ». Quant aux garçons, ils commencent à muer et ils émettent souvent des sons discordants qu'ils préféreraient qu'on n'entende pas.

Ces enjeux de transformation sont délicats puisque l'image que les jeunes ont de leur corps est sujette à être déformée par ce qu'ils croient voir dans le regard des autres et par ce qu'ils croient être socialement acceptable et désirable. À cet égard, la publicité a sur eux un impact considérable. Ils considèrent donc leur corps comme au travers d'un écran composé de peurs, de complexes et d'espoir.

Les préadolescents se posent de nombreuses questions : Comment être bien dans un corps qui se transforme ? Comment apprendre à s'aimer soi-même ? Comment aller vers l'autre ? Pour être bien dans ce corps qui se transforme, il faut que le jeune comprenne ce qui lui arrive. Qu'il sache qu'il s'agit d'une période de grand changement tant au plan physique que psychologique, que cela se produit sur un certain laps de temps et que chaque individu a son propre rythme. Il est important de l'amener à reconnaître chez lui des parties corporelles qu'il trouve belles et qui lui conviennent comme elles sont, de souligner de plus la valeur de sa personnalité, ce qui compte tant pour établir une relation avec l'autre.

Le rapport avec les parents : une distanciation nécessaire

À la préadolescence, l'enfant devient progressivement plus inaccessible pour ses parents. Il accepte plus rarement de recevoir des câlins et des manifestations d'affection, surtout en public. Une distance se crée entre son corps et celui de ses parents. De plus, une désidéalisation de l'image des parents l'amène à être plus critique à leur endroit. C'est un peu inévitable pour qu'il en vienne à s'en séparer un peu plus.

Les grands-parents gardent parfois ce privilège de pouvoir s'approcher de l'enfant pour une caresse, car ce dernier sait qu'il risque moins d'être ramené à un statut d'enfant par ces adultes qui ne dirigent pas son quotidien, comme son père et sa mère le font encore si souvent.

La sexualité aux abords de l'adolescence : activités et jeux sexuels

Les transformations corporelles et l'augmentation de la production d'hormones sexuelles jouent un grand rôle dans l'augmentation des pulsions. Elles engendrent une tension qui amène souvent le jeune à se caresser. Au cours de cette période, des fantasmes accompagnent l'activité masturbatoire, dont on note la recrudescence, bien qu'il s'agisse d'une activité faite en privé. Celle-ci devient alors une sorte de compromis entre les désirs sexuels et la peur ou l'impossibilité de les réaliser. La recherche du plaisir motive cette pratique.

L'attraction sexuelle et les fantaisies qui accompagnent la puberté font prendre conscience aux jeunes de leur orientation sexuelle, qui est en voie de se fixer. Toutefois, il arrive que le doute, la recherche de soi-même et l'expérimentation se côtoient, ce qui donne souvent lieu à des contacts hétérosexuels, homosexuels et bisexuels, sans qu'il s'agisse pour autant de l'expression claire des choix qui seront faits à maturité. Parfois, ces expériences sont vécues avec beaucoup d'angoisse et suscitent des crises d'identité difficiles à vivre. Ce passage se révèle encore plus difficile chez les jeunes qui se découvrent des attirances très claires pour les personnes du même sexe. Nous reparlerons de ces situations au chapitre 5.

L'intérêt envers le sexe opposé peut se manifester vers l'âge de 9 ans. À cet âge, les enfants peuvent s'embrasser et se caresser, bien que les attouchements des seins et de la région génitale soient peu fréquents. Toutefois, au début de l'adolescence, les enfants manifestent un réel intérêt pour le sexe opposé. On assiste alors au début des fréquentations et de l'intimité physique. Cependant, l'intimité et la sexualité avec l'autre soulèvent des émotions qui ne leur paraissent pas toujours simples à vivre et à comprendre.

Les activités sexuelles peuvent avoir différentes significations : la volonté de faire comme les grands, le besoin d'attention, la recherche d'affection, de sécurité et de contact physique, le désir d'échapper à la solitude, sans oublier la peur de ne pas être normal ou d'être tourné en ridicule si on n'a peu ou pas d'expériences.

La sexualisation précoce : influence des médias et des produits de consommation

Les enfants entrent de plus en plus jeunes dans la préadolescence et ce phénomène s'accompagne d'une sexualisation précoce. Depuis quelques années, on remarque un phénomène de « sursexualisation » de certains enfants âgés de 6 à 12 ans. Cette tendance a touché d'abord les fillettes, mais les garçons ne sont pas non plus épargnés. Elle touche les enfants dans leur façon de se vêtir, de soigner leur image corporelle, d'entrer en relation avec leurs amis, y compris ceux du sexe opposé, et dans leurs comportements en rapport avec la sexualité.

Nombre d'enfants se trouvent ainsi à « sauter par-dessus » la période de latence et, par le fait même, à ne pas vivre une belle partie de leur enfance. On constate aujourd'hui que des fillettes âgées d'à peine 9 ans essaient de maigrir pour « embellir » leur corps. Il n'est pas rare que des enfants de cet âge adoptent le comportement des adolescents à la recherche de vêtements, de chaussures et de casquettes griffés.

Pour les petites filles et les préadolescentes, la mode est imprégnée de références à des vêtements sexualisés qui sont destinés à des adultes. Certains vêtements d'enfants sont en quelque sorte des copies de vêtements d'adultes : moulants et très courts, de façon à découvrir le nombril, petites culottes « string » dépassant du pantalon, mini soutiens-gorge, décolletés très suggestifs, tout cela contribue à introduire la sexualité dans la sphère des enfants. Ceux-ci en arrivent même à se créer un vocabulaire pour désigner ces objets afin de les intégrer dans leur monde. Comme cette fillette qui appelait sa culotte string un « crac-fesse ». Les garçons ne sont pas en reste, certains étant adeptes du style « pyjama », pantalon deux fois trop grand, tombant sur les cuisses en l'absence de ceinture et dévoilant la marque et la couleur du caleçon. Nous sommes loin de l'époque où les enfants, consacrant leurs énergies à jouer et à pratiquer des sports, portaient des vêtements pratiques et confortables.

Il ne faut pas non plus sous-estimer l'influence sur les enfants d'une certaine musique, portée souvent par des modèles adultes qui expriment une sexualité débridée dans leur tenue vestimentaire et dans leur gestuelle. Certains des textes de chansons évoquent des réalités souvent très crues et vulgaires, qui s'intègrent peu à peu au vocabulaire des jeunes, qu'ils en comprennent ou non le sens. Ainsi, leur perception des relations hommes-femmes est déformée. On voit aussi que la vulgarité, l'asservissement et la violence dans les rapports entre les hommes et les femmes sont banalisés.

Il est tout à fait légitime de se demander si ces enfants ont plus de maturité qu'auparavant. On peut en douter fortement et s'interroger sur les dangers qu'on leur fait courir en les exposant ainsi à ces images, à ces propos et à ces modèles qu'ils n'ont pas choisis de façon éclairée.

Comment réagir à ce courant d'hypersexualisation ?

D'un côté, on ne veut pas être le parent « vieux jeu » qui dit toujours non et on désire également que notre enfant ait des amis et puisse bien s'intégrer à son groupe de pairs (« Mais maman, toutes mes amies en ont, je vais faire rire de moi…! »). On aimerait pouvoir dire oui, mais on s'inquiète et on désapprouve ce qu'il nous réclame (un vêtement, un disque, etc.).

Afin d'être crédible dans notre encadrement, il est bon d'être plus familier avec ce qui semble intéresser notre enfant : regarder avec lui les vidéo clips à la mode, lui demander ce qu'il pense des vêtements que portent le chanteur vedette ou les stars, aller magasiner avec lui et négocier. On crée ainsi des occasions de discuter de ce que nous croyons acceptable et de ce qui ne l'est pas en ayant des arguments plus valables. On peut également éviter la rigidité et faire certain compromis : « Ce vêtement n'est pas pour l'école mais tu peux le porter durant la fin de semaine. »

Apprenons à nos enfants à être critiques face aux messages véhiculés par les médias, discutons ensemble des enjeux qui se cachent derrière ces messages, par exemple les profits des compagnies et leur manque de conscience face à l'impact sur les jeunes.

Enfin, faisons preuve de fermeté lorsque nos convictions l'emportent. Il revient à l'adulte de prendre ultimement certaines décisions, et au jeune d'apprendre à vivre un peu de frustration.

 # Questions de parents

▶ **Qu'est-ce qu'un hymen? Les tampons hygiéniques peuvent-ils perforer l'hymen?**

L'hymen est une membrane qui ferme partiellement l'orifice vaginal. La fermeture n'est que partielle pour permettre l'écoulement du sang menstruel. La forme et la résistance de l'hymen varient beaucoup d'une fille à l'autre. Les tampons hygiéniques ne peuvent pas perforer l'hymen puisque celui-ci est déjà muni d'une ouverture.

▶ **Quels sont les changements physiques liés à la puberté des jeunes filles et des garçons?**

Le terme «puberté» fait référence à un stade de maturation biologique pendant lequel la fille ou le garçon devient capable de se reproduire. En moyenne, la puberté se déclenche vers 10 ou 11 ans chez les filles et vers 11 ou 12 ans chez les garçons. Ces changements sont provoqués par des hormones que le corps produit. Pour les filles, il s'agit principalement de l'œstrogène; l'hormone mâle s'appelle la testostérone.

Plusieurs signes physiques confirment que la puberté a débuté. Chez les filles, ces changements touchent le développement des seins, l'apparence de poils à la région génitale et aux aisselles. Les glandes

(...)

(suite)

sudoripares des régions génitale et axillaire s'activent. Les ovaires, le vagin et l'utérus grandissent rapidement. Le clitoris et les lèvres augmentent aussi en volume. C'est également la période où la plupart des jeunes filles commencent à avoir leurs règles. L'âge moyen des premières menstruations est d'environ 12 ans et demi, mais cela n'est qu'une moyenne. Une jeune fille peut aussi avoir ses premières menstruations plusieurs années avant ou après.

Les garçons voient apparaître des poils aux régions génitales et axillaires ainsi que sur le visage. Le pénis et le scrotum augmentent en volume, et les épaules s'élargissent. Tôt ou tard, l'éjaculation se produira pendant le sommeil et le garçon aura des érections, beaucoup plus fréquemment qu'auparavant.

CHAPITRE 4

LES COMPORTEMENTS ET LES JEUX SEXUALISÉS

▼

Quiconque côtoie des enfants est en mesure d'observer chez eux des comportements liés à la sexualité. Selon l'âge, certains se mettent à utiliser un langage grossier et à faire des blagues vulgaires, d'autres plus jeunes s'amusent à se montrer nus, tentent de toucher les parties génitales d'un petit frère, se mettent à se caresser sans considération pour les autres, ou encore lancent un défi à un ami : « Si tu me montres le tien, je te montre le mien ». D'autres enfants s'adonnent à des jeux sexualisés, au cours desquels un trouble étrange se mêle à la curiosité ; ils s'entourent de mystère pour s'y livrer en se dérobant au regard des adultes.

Nombre de recherches ont démontré que l'on retrouve un large éventail de comportements sexualisés chez les enfants qui connaissent un développement normal. Des chercheurs ont étudié les comportements les plus fréquemment observés, en fonction de l'âge, dans des contextes de vie normaux et chez des enfants ne présentant pas de psychopathologie ou de troubles graves[14]. Ces comportements se présentent sous des formes multiples, ils ont des fonctions différentes et ils varient grandement selon l'âge.

---

14. W.N. Friedrich et al. « Normative sexual behavior in children : a contemporary sample ». *Pediatrics* 1998 101 (4) : e9.

Ainsi, 26,5 % des garçons et 15 % des fillettes de 2 à 5 ans se touchent les parties sexuelles dans les lieux publics. De 6 à 9 ans, ce comportement diminue à 14 % chez les garçons et à 6,5 % chez les filles; il devient très peu fréquent (1 à 2 %) chez les 10 à 12 ans. Il est par ailleurs très fréquent que les enfants se touchent les parties sexuelles dans des lieux d'une grande intimité, à la maison en particulier : 60 % des garçons et 44 % des filles de 2 à 5 ans, 40 % des garçons et 21 % des filles de 6 à 9 ans. Cette situation persiste chez 9 % des garçons et 12 % des filles de 10 à 12 ans.

Un autre comportement évolue en fonction de l'âge de l'enfant; il s'agit de toucher ou d'essayer de toucher aux seins de la mère. Cela est très fréquent chez les enfants de 2 à 5 ans (plus de 42 % des garçons et des filles). Ce comportement diminue de façon importante à 6 ans, sauf chez les filles (16 %), peut-être en raison de la proximité physique qui est encore autorisée. Par ailleurs, si les petits (2 à 5 ans) ne parlent que très rarement d'actes sexuels (2,5 %), ils le font plus dès l'âge de 6 ans (environ 9 % des garçons et des filles de 6 à 12 ans). Quant aux manifestations d'intérêt pour l'autre sexe, elles sont exprimées de façon équivalente chez les garçons et chez les filles de 2 à 9 ans (environ 15 %); mais on observe un bond chez les 10 à 12 ans avec 24 % des garçons et 29 % des filles.

On peut dire que les enfants de 2 ou 3 ans s'adonnent visiblement à beaucoup plus de jeux sexualisés que les enfants d'une dizaine d'années. Tant chez les garçons que chez les filles, on observe une augmentation des comportements sexualisés entre 2 et 5 ans, et cela diminue substantiellement par la suite. Vers l'âge de 9 ans, on observe une autre diminution dans la fréquence des comportements sexualisés, ces derniers étant plus cachés donc moins observables, sans pour autant disparaître.

Ces manifestations de la sexualité prennent donc plusieurs formes et émergent pour diverses raisons. La plupart du temps, elles ont une fonction dans le développement et le cheminement de l'enfant. Voici quelques repères, tirés des travaux précédemment cités, qui permettent d'identifier le type de comportement et sa fonction possible.

Les comportements relatifs aux limites interpersonnelles

Par des comportements d'approche des autres (vouloir toucher aux seins de maman, à l'entrejambe de papa ou du petit frère, ou chercher à se frôler sur sa gentille gardienne…) l'enfant apprend à connaître les limites à mettre entre son corps et celui d'une autre personne. Devant ces comportements, les adultes réagissent de diverses manières, ce qui permet à l'enfant d'apprendre qu'on ne se rapproche pas trop familièrement d'une personne que l'on connaît peu et que lui-même doit réagir s'il est l'objet d'une telle approche par quelqu'un d'autre. De plus, l'enfant apprend que même s'il est en relation d'intimité avec ses parents, il ne peut toucher comme il le veut certaines parties de leur corps, tout particulièrement les parties « intimes », les seins ou les parties génitales. Cela est aussi valable pour lui ; il apprend ainsi qu'il ne doit pas laisser d'autres personnes toucher à ses parties intimes.

Les comportements relatifs à l'apprentissage des rôles sexuels et à l'identité sexuelle

Par ces comportements, l'enfant explore et exprime ses intérêts masculins ou féminins dans le cadre du développement de son identité sexuelle. Par imitation et identification, il intériorise une représentation de lui-même comme être sexué, ce qui se fait la plupart du temps en concordance avec la réalité de son sexe biologique. En définissant son identité de genre, garçon ou fille, il reconnaît son appartenance à l'un ou l'autre sexe et arrive à conclure à son propre sujet : « Je suis un garçon » ou « Je suis une fille », en affichant des intérêts, des comportements, des sentiments et des affinités plus ou moins masculins ou féminins.

On retrouve principalement ce type de comportements dans les jeux de « faire semblant » (voir en page 109), où l'on devient papa ou maman dans les activités et les attitudes. Par exemple, le petit garçon ou la petite fille qui gronde le méchant toutou ou la méchante poupée qui n'a pas mangé tout son repas, qui joue à faire le papa qui va travailler ou la maman qui s'occupe du petit bébé. Au cours de cette période, l'enfant a d'ailleurs une perception très stéréotypée des rôles masculins et féminins.

Les comportements d'autostimulation (masturbation)

La fréquence et l'intensité des comportements d'autostimulation ou de masturbation varient beaucoup selon chacun. Certains sont probablement plus sensibles que d'autres et l'autostimulation génitale provoquerait chez eux une plus grande sensation de plaisir ; l'enfant risque alors de s'y adonner plus souvent afin de retrouver cette sensation. On observe plus souvent la masturbation chez les garçons puisque leur pénis est plus facilement accessible et que les parents acceptent généralement mieux ce comportement. D'ailleurs, le fait même que le garçon doive toucher à son pénis lorsqu'il urine rend le geste plus usuel.

Les comportements d'autostimulation remplissent plusieurs fonctions, qu'il s'agisse de la découverte du corps, de la recherche de plaisir ou encore d'une forme de « relaxation » et de décharge de tension en période de stress.

Les comportements qui traduisent une anxiété en lien avec la sexualité

Certains comportements de l'enfant traduisent sa gêne, son inconfort, son malaise et parfois une anxiété intense devant les questions liées à la sexualité. Pensons ici au « ouach ! » spontané de l'enfant de 6 ans exprimant son dégoût devant un échange de caresses ou un baiser entre deux personnes ou lorsqu'il apprend comment se font les bébés. Même chose lorsque l'enfant reproduit des sons entendus ou des gestes vus en lien avec la sexualité adulte qu'il n'est pas en âge de comprendre et qui génèrent de l'anxiété. Ces types de comportements se retrouvent également à la préadolescence, traduisant un malaise au plan de l'image corporelle ou dans l'attente craintive d'une relation intime avec l'autre sexe.

Les comportements qui traduisent une curiosité et un intérêt pour la sexualité

L'enfant est naturellement curieux à l'égard de la sexualité. Ce désir de savoir et de comprendre se traduit parfois par les questions qu'il pose, par les jeux dans lesquels il s'engage, par son intérêt pour le sexe opposé ou encore par son désir de regarder afin de se comparer et se différencier. Ces comportements permettent à l'enfant d'acquérir de nouvelles connaissances en matière de sexualité. Les connaissances d'un enfant et leur étendue dépendent de son intérêt pour ce sujet, tout comme de l'aptitude de son entourage (incluant les parents) à le renseigner en fonction de son âge et de ses besoins.

Les comportements de voyeurisme ou d'observation

Ces comportements sont une variante de la catégorie précédente, car ils signifient généralement un intérêt et une curiosité pour la sexualité. Ils se traduisent souvent par le désir de voir les autres s'embrasser, se toucher, aller aux toilettes, se déshabiller. L'enfant tente ainsi de confirmer ou d'infirmer ses connaissances nouvellement acquises et cherche à se comparer aux autres. Ces comportements sont très différents des conduites voyeuristes que l'on retrouve parfois chez les adolescents ou les adultes qui cherchent ainsi à obtenir une excitation sexuelle.

Les comportements exhibitionnistes ou « le plaisir d'être vu »

Les jeunes enfants s'exposent volontiers nus ou partiellement nus au regard des autres. Ils le font souvent avec plaisir, qu'il s'agisse d'un « malin plaisir » pour attirer l'attention et provoquer, ou d'un plaisir innocent. Cela prend la forme de petites parades plus ou moins subtiles, au sortir du bain ou au moment de s'habiller ou de se déshabiller. Quant au jeu bien connu du « docteur », c'est là une occasion d'observer l'autre et de s'exposer à l'autre.

Dans cette catégorie de comportements, on trouve également celui de la petite fille qui retrousse sa robe jusqu'à la taille en exhibant sa petite culotte en public, que ce soit par plaisir ou pour voir la réaction de ses parents. Dans ce dernier cas, elle désire tester les limites de ses parents et découvrir ce qui est permis et ce qui ne l'est pas, ce qui est de l'ordre du privé ou du public.

Les comportements sexuels intrusifs

Les contacts ou jeux entre enfants sont parfois plus intrusifs. Certains demeurent dans la normalité (quand ils ne sont pas comparables à ceux des adultes et qu'ils ne sont pas forcés) et d'autres doivent nous alerter. Sans devenir intrusifs à notre tour, il importe que nous sachions d'où ils viennent.

La curiosité sexuelle

L'enfant est naturellement curieux et poussé par le besoin de savoir, d'apprendre, de connaître et de comprendre. Cette curiosité constitue un moteur essentiel de développement et elle est présente dès la première année de vie.

Très tôt, le bébé, puis l'enfant qui grandit, explore son corps par des touchers, à la recherche du *comment il est fait* et du *comment il fonctionne*. Il explore aussi le monde par l'intermédiaire de son corps, qu'il s'agisse de son environnement ou encore du corps des personnes qui sont le plus en contact avec lui, ses parents, ses frères et ses sœurs. Ce besoin de savoir et la démarche de recherche de réponses qui en résulte permettent à l'enfant de développer des éléments qui seront précieux pour son équilibre personnel. L'enfant qui réussit à poser des questions, à obtenir des réponses et à trouver des explications éprouve un sentiment de maîtrise sur lui-même et sur son environnement et, par le fait même, développe une bonne estime de lui-même.

Parmi les nombreux sujets sur lesquels portent cet intérêt exploratoire et ce désir d'expérimentation se trouve la curiosité à l'égard de la sexualité. Certains auteurs considèrent même que la curiosité sexuelle serait le moteur de la curiosité intellectuelle et du développement de la personne.

Cette recherche d'information sur la sexualité se fait de plusieurs manières. L'enfant peut se livrer à des expérimentations sur lui-même, à des séances d'observation des autres (voyeurisme), à des interactions avec ses compagnons ou avec des adultes, à la mise à l'essai de blagues au goût parfois douteux, et il peut aussi chercher à se renseigner par les médias, les livres, les magazines, la télévision et sur Internet. La qualité de l'information qu'il tirera de ces diverses sources sera fort variable !

Selon la personnalité de l'enfant et ce qu'il vit, cette pulsion de savoir peut être très vive ou au contraire fortement réprimée. Il s'agit là de deux extrêmes peu favorables à un développement équilibré, le bien-être de l'enfant se trouvant plutôt quelque part entre les deux.

Ce qui éveille la curiosité sexuelle

Selon le niveau de développement de l'enfant et ce qu'il vit dans sa famille, plusieurs situations de la vie quotidienne éveilleront sa curiosité sexuelle. Certaines proviennent de l'entourage de l'enfant tandis que d'autres sont issues de l'intérieur même de son corps. Voici quelques-uns des contextes propices à stimuler cette curiosité et à amener l'enfant sur le champ de l'expérimentation.

- Les sensations éprouvées dans son corps, plus précisément dans ses zones érogènes, peuvent amener l'enfant à vouloir retrouver ces sensations pour ressentir à nouveau le plaisir. Et les découvertes qu'il fait alors peuvent lui paraître étonnantes. Ainsi, rappelons cette petite fille de 4 ans, qui dit à sa mère : «Maman, en touchant à ma vulve, je suis tombée dans un trou ! ». Ou ce petit garçon qui demande à ses parents pourquoi son pénis devient dur lorsqu'il le touche.

- Le constat d'étonnantes différences entre les filles et les garçons, entre les femmes et les hommes, engendre souvent des questionnements, voire de petites inquiétudes quant à la normalité de son anatomie ou de ses comportements.

- La naissance à venir d'un bébé provoque des questions. Comment est-il entré dans le ventre de la maman ? Comment peut-il en sortir ? De quoi a-t-il l'air à l'intérieur ? «Quoi ! Il est tout nu, pense-t-il, il n'est même pas habillé ! »

- La relation privilégiée entre papa et maman, entre deux adultes, un baiser vu à la télé, tout cela n'est pas sans soulever de grandes interrogations: «Qu'est-ce qui se passe derrière la porte fermée de la chambre de papa et de maman?», «Qu'est-ce que c'est que cette espèce de baiser avec la bouche ouverte!»
- Les transformations pubertaires que l'enfant vit lui-même ou qu'il constate chez un frère ou une sœur. «Que m'arrive-t-il?», «Est-ce que cela va être pareil pour moi?»
- La difficulté de l'adulte à répondre à toutes ces questions ou son silence au sujet des questions de sexualité augmente cette impression de mystère et attise chez l'enfant intérêt et curiosité. La nature même de l'enfant fait en sorte qu'il est attiré par ce qui est secret et caché. Il vit de l'excitation à l'idée de découvrir le mystère, mais également de l'angoisse devant l'inconnu.

Ce qui réfrène la curiosité sexuelle

Dans certaines circonstances, cette curiosité peut être réprimée; comme si on mettait un couvercle sur une marmite, afin d'empêcher les bouillonnements... jusqu'à ce que cela déborde. En effet, quand on réprime chez l'enfant l'énergie et le besoin d'exprimer sa sexualité, on risque de créer une tension interne qui devra bien sortir d'une manière ou d'une autre, sous la forme de symptômes courants chez l'enfant (petits passages à l'acte sexualisé qui semblent sortir de nulle part ou manifestations d'anxiété sous forme de symptômes physiques, comme les maux de ventre ou de tête, l'énurésie ou l'encoprésie).

Lorsque cette répression est intense, elle peut affecter le comportement de l'enfant, qui n'est plus libre de chercher des réponses à ses interrogations en faisant des expériences. Elle peut aussi affecter ses processus de pensée, car il devient difficile pour lui de «mentaliser» son questionnement. On voit alors l'enfant fonctionner avec rigidité et avoir une grande difficulté à laisser aller son imagination, non seulement en ce qui a trait à la sexualité, mais aussi, de façon plus générale, sur d'autres plans et dans d'autres domaines.

De telles situations sont générées dans différents contextes, quand l'angoisse et la culpabilité s'avèrent trop fortes.

- Les hésitations des parents à répondre aux questions de l'enfant. Un enfant sent que ses parents ne souhaitent pas répondre aux questions lorsqu'ils repoussent le moment de répondre ou éludent le sujet. L'enfant finit par cesser d'en poser pour ne pas les gêner. Se retrouvant plusieurs fois seul avec son interrogation, il peut être amené à «refouler» son besoin de savoir.

- Des réponses fausses et souvent angoissantes : «Si tu continues à tripoter ton zizi, il va finir par tomber !»

- Des émotions négatives trop intenses que l'enfant éprouve, à tort ou à raison, comme la honte ou la culpabilité. L'enfant ressent ces émotions intenses lorsqu'il affronte dans son entourage des interdits culpabilisants et répétés par rapport à la sexualité. On voit aussi des enfants ressentir de telles émotions quand, malgré un environnement familial à l'écoute, ils sont d'un type anxieux et craignent par-dessus tout la désapprobation de leur entourage.

- Des modèles inadéquats (violence conjugale, violence psychologique, traitement inégal entre filles et garçons, attitude des parents entre eux et au sujet de la sexualité).

- Une expérience trop stimulante, voire abusive, que l'enfant ne peut intégrer puisqu'il en reste impressionné, apeuré et angoissé.

Le «*faire semblant*» et la construction de l'*identité sexuée*

Par les jeux symboliques, les jeux de représentation ou de «faire semblant», les enfants expérimentent différents rôles (le papa, la maman, la princesse, le professeur, le bébé, etc.). Grâce à ces mises en scène, l'enfant imite et exprime, seul ou avec ses amis, en gestes et en paroles, des situations vécues ou inventées. Il s'approprie des modèles d'une façon très personnelle. Ces jeux, dans lesquels l'enfant joue le rôle de papa, de maman ou de toute autre personne de son entourage, lui permettent de reproduire des événements de sa vie, afin de mieux les comprendre et de les assimiler. De plus, il sait bien qu'il est en train de jouer, que l'erreur est donc permise et qu'il peut changer le déroulement selon son désir, ce qui hélas n'est pas possible dans la vraie vie. Ces jeux lui permettent d'éprouver un sentiment de maîtrise, lui donnent l'impression d'être grand et d'avoir un certain pouvoir, du moins le temps que dure le jeu auquel il participe si activement, comme pour «de vrai».

Ces jeux contribuent grandement à construire l'identité sexuée. Ils développent le sentiment rassurant de savoir à quel sexe l'enfant appartient et quelles sont ses caractéristiques distinctives, en tant que petit garçon ou petite fille. Le scénario de ces jeux est évidemment influencé par les comportements des adultes, comportements plus ou moins traditionnels ou stéréotypés selon les valeurs de chacun, ainsi que par l'image que les médias transmettent sur l'identité sexuelle : «Qu'est-ce qu'un homme, qu'est-ce qu'une femme ?»

Le stress

Pour les enfants, les comportements sexualisés et, parfois, les jeux sexualisés peuvent constituer un exutoire au stress qu'ils accumulent et vivent avec difficulté. Ces jeux contribuent également à évacuer le stress vécu dans la famille ou à l'école, stress qui, de façon générale, est à l'origine des troubles du comportement.

C'est normal ou pas?

Il est parfois difficile de savoir si un comportement ou un jeu sexualisé est normal ou non. En fait, certains points de repère permettent d'établir le degré de normalité de ces conduites à connotation sexuelle et de décider d'une marche à suivre : va-t-on mettre des limites, donner une information ou simplement laisser les enfants jouer tranquilles ?

De façon générale, les jeux sexualisés s'intègrent normalement dans un petit scénario (on joue au docteur, au papa et à la maman) qui donne lieu à une exploration sexuelle. Le scénario peut même être un prétexte à cette exploration. Toutefois, dans tous les cas, les composantes sexuelles du jeu ne sont généralement ni isolées, ni très planifiées. L'attribution des rôles à un enfant et à l'autre varie, un petit garçon pouvant jouer le rôle de la maman sans qu'on se questionne sur sa future orientation sexuelle. De la même façon, les jeux sexualisés peuvent se dérouler entre compagnons du même sexe, sans que cela soit révélateur de la future orientation sexuelle de l'enfant. Dans ces jeux, il y a souvent un enfant « initiateur » mais qui n'est pas toujours le même ; la situation n'est pas pour autant abusive si l'enfant initiateur n'a pas une influence indue, qu'il éprouve de l'empathie et fait preuve d'un bon jugement.

On peut se sentir rassuré sur cette question des jeux sexualisés quand la sexualité de l'enfant s'exprime à l'occasion et sans émotions trop intenses et négatives.

Dans certaines conditions, ces jeux sexualisés surviennent trop souvent, prennent de trop grandes proportions ou se déroulent d'une manière inquiétante. Autant les jeux sexuels comptent lors de la découverte de soi et de l'autre, autant ils peuvent engendrer des situations d'abus de pouvoir d'un enfant sur un autre. Nous devons nous inquiéter si l'on retrouve, dans le jeu sexualisé, des affects de colère, de tristesse et d'agressivité. Nous pouvons alors nous questionner sur ce qui se passe vraiment.

Ces situations font surgir une multitude de questions sur les causes de ces comportements problématiques et sur la façon d'intervenir auprès des enfants pour les aider. Nous tentons de répondre à ces questions dans le chapitre portant sur les comportements sexualisés problématiques (voir en page 117). En attendant, voici quelques points de repère pour définir ce qui est problématique et ce qui ne l'est pas.

La motivation est saine...

Plusieurs motivations tout à fait normales peuvent amener l'enfant sur le chemin d'une mise en acte ou d'une mise en mots sexualisée : 1) la recherche d'une sensation de plaisir corporel ; 2) la recherche d'information sur les différences entre filles et garçons, ainsi que sur les ressemblances entre enfants de même sexe ; 3) le besoin de s'amuser à jouer des rôles sexués ; 4) la recherche d'une réduction des tensions générées par la fatigue, le stress ou l'ennui (ce qui est souvent le cas avec les comportements comme l'autostimulation des parties génitales) ; et, parfois, 5) le désir de provoquer une réaction chez les adultes.

...ou elle est conflictuelle, pathologique

Ici, l'activité sexualisée est motivée par divers éléments conflictuels ou chargés d'émotions négatives. Certains enfants recherchent des stimulations sexuelles en raison d'un éveil sexuel précoce, voire d'un traumatisme sexuel causé par une agression ou une surexposition à de l'information sexuelle inappropriée et à des modèles inadéquats. Chez d'autres enfants, les comportements sexualisés ont pour fonction de soulager des émotions pénibles comme la colère, la jalousie, le sentiment de vengeance, l'angoisse, la confusion et la solitude; on y retrouve parfois le désir de faire de la peine ou de faire mal.

Le comportement correspond au stade de développement psychosexuel de l'enfant...

D'un stade de développement à l'autre, la sexualité change et évolue. La zone érogène, les comportements, les intérêts et le type de verbalisation changent. Un comportement considéré comme normal à un certain stade sera vu comme problématique à un autre stade. Par exemple, il est fréquent et normal de voir des enfants de 0 à 2 ans toucher ou vouloir toucher les seins de leur mère, mais cela devient problématique chez l'enfant de 10 ou 12 ans. Quant aux comportements «génitalisés», propres à la sexualité adulte, ils sont problématiques lorsqu'ils se présentent avant la puberté. Il faut évaluer sérieusement les situations comportant des gestes de fellation ou de pénétration vaginale ou anale chez un enfant.

Il est aussi nécessaire de considérer le niveau de développement intellectuel d'un enfant; par exemple, celui qui présente une déficience intellectuelle se comporte généralement selon son âge mental plutôt que son âge chronologique. Le développement sexuel et les activités qui l'accompagnent correspondront donc également à l'âge mental.

...ou il ne correspond pas au stade de développement ou paraît déviant

L'activité dans laquelle l'enfant s'est engagé, le type de comportement qu'il a adopté ou les propos qu'il a tenus ressemblent davantage à des comportements adultes. Ils ne font pas partie des activités sexuelles que l'on retrouve habituellement chez les enfants de cet âge. Il peuvent être «génitalisés», intrusifs et trop élaborés. Les chercheurs s'accordent pour dire qu'il est problématique de voir des enfants de moins de 12 ans s'adonner à des pénétrations anales, vaginales ou à des fellations. Ajoutons que les comportements sexualisés impliquant des animaux sont déviants et anormaux.

La participation de l'enfant est volontaire et les partenaires sont de statut comparable...

Lorsque deux enfants ou plus s'adonnent à une activité sexualisée, ce sont très généralement des enfants qui se connaissent déjà. Ils sont environ du même âge, leur développement physique et cognitif est comparable et ils jouent à peu près le même rôle dans leur groupe d'amis. Il n'existe donc pas de différence assez grande pour que l'un prenne pouvoir ou ait une influence indue sur l'autre. Chacun d'eux peut donc consentir librement à cette interaction, puisqu'ils ont des compétences cognitives et psychoaffectives leur permettant de comprendre ce qui leur est proposé. À l'âge scolaire, ils sont au courant des normes sociales (ils distinguent le bien du mal, l'acceptable de l'interdit), ils connaissent les conséquences possibles de leur comportement (comme l'éventualité d'être puni) et connaissent les alternatives à ce comportement (tel que refuser de jouer ou proposer un autre jeu).

Lorsqu'il s'agit d'enfants d'âge préscolaire, le comportement surgit ponctuellement entre les enfants qui y participent alors en fonction de motivations similaires (par exemple, une curiosité partagée par tous).

... ou la participation est contrainte et il existe une différence de statut entre les partenaires

Un enfant est contraint à une activité sexualisée lorsqu'il y a une pression faite par un autre enfant pour s'adonner à cette activité. Dès lors, il ne s'agit plus d'un jeu entre deux enfants, mais davantage de l'un qui se joue de l'autre. Dans ce cas, il y a généralement une différence de statut entre l'enfant qui propose l'activité et les autres. L'enfant initiateur est souvent plus âgé et plus développé, sur les plans physique ou cognitif, et, de ce fait, il joue le rôle de leader, ce qui lui permet d'avoir une emprise sur les autres enfants. Il utilise la contrainte pour obtenir la participation des autres, ainsi que pour s'assurer de leur silence. Ces contraintes peuvent prendre la forme de menaces psychologiques, comme l'intimidation, la coercition verbale et des menaces d'exclusion, de gain ou de perte de privilèges matériels ou relationnels. Il peut aussi y avoir des menaces à l'intégrité physique ou l'usage de force pour effrayer, soumettre l'autre et le contraindre au silence. L'agressivité est un élément très préoccupant, qui doit clairement attirer l'attention des adultes et qui devrait être évalué à fond.

Une activité parmi d'autres...

L'activité sexualisée ne représente qu'une activité parmi d'autres qui occupent l'enfant. En d'autres termes, il n'a pas que ça à faire ! Ainsi, les enfants engagés dans une activité sexualisée sont aussi partenaires de jeux dans d'autres sphères (activités sportives, créatrices, etc.) qui ont la même importance pour eux.

... ou un surinvestissement de la sexualité

Si les activités sexualisées ont lieu au détriment des autres aspects de la vie de l'enfant, c'est qu'il y a surinvestissement de la sexualité. L'enfant apparaît préoccupé de façon excessive par la sexualité et on observe chez lui un débordement sexualisé dans ses propos, ses jeux et ses relations. Il peut y avoir une stagnation dans les autres sphères de la vie de l'enfant. Dans certains cas, la sexualité devient une façon de créer un contact avec les autres, d'entrer en relation avec les copains et, de ce fait, elle devient tout à fait banalisée. Dans d'autres cas, la sensation de pouvoir sur les autres, combinée à l'excitation sexuelle, entraîne une dépendance malsaine.

Le comportement devient moins fréquent quand un adulte intervient...

Lorsqu'un adulte intervient pour encadrer un comportement et expliquer ce qui est inapproprié ou interdit, le comportement devient moins fréquent. Manifestement, l'enfant a intégré des notions de limites (cela se fait ou ne se fait pas), d'intimité (cela ne se fait pas devant les autres), d'empathie et de respect (cela est désagréable pour les autres) et il s'adapte en fonction des normes sociales qui lui sont inculquées. Quand il se fait prendre en flagrant délit, il peut ressentir de la gêne, de la culpabilité et de la honte, mais ces sentiments sont généralement éphémères et nous indiquent qu'il porte lui-même un jugement sur ses propres conduites.

...ou il y a incapacité de cesser le comportement malgré l'intervention de l'adulte

Malgré l'intervention d'un adulte, l'enfant persiste dans l'agir sexualisé. Pour certaines raisons, il n'est pas en mesure d'intégrer l'encadrement qu'il reçoit. On observe aussi le recours à des défenses primitives et à une logique faussée pour se justifier («Il n'a pas dit non», «C'est l'autre qui a commencé»). Dans ce cas, l'activité a souvent été planifiée et elle est motivée par quelque chose de plus problématique. L'agir sexuel peut être un exutoire à des tensions trop fortes ou c'est un appel à l'aide. Après avoir été surpris par un adulte, l'enfant qui présente ce type de comportement peut faire en sorte que ses activités demeurent secrètes.

Que faire devant un comportement sexualisé ?

Lorsque l'on en arrive à la conclusion qu'un comportement sexualisé est normal, on laisse aller sans s'inquiéter ou on encadre de façon minimale. Mais lorsque le comportement répond à des critères d'anormalité ou de déviance, il est important d'agir et de consulter. C'est ce dont nous parlerons plus à fond au chapitre suivant.

CHAPITRE 5

DES SITUATIONS PARTICULIÈRES

▼

Les comportements sexuels problématiques

Si l'on s'entend pour dire que les enfants expriment normalement leur sexualité par une diversité de comportements, il arrive parfois qu'on soit préoccupé lorsque certains de ces comportements prennent une tournure problématique. Un comportement sexuel est problématique lorsqu'il est répétitif et envahissant dans la vie de l'enfant, lorsqu'il dérange ses compagnons et son entourage, qu'il est exagéré en soit et persiste malgré nos interventions. Comme le propose Jean-Yves Hayez[15], la sexualité de ces enfants préoccupe puisqu'elle n'est plus récréative (pour le plaisir sans dépendance) ni sociale puisqu'elle est vécue dans l'isolement, l'agressivité, voire la violence.

Il y donc des enfants dont la sexualité est perturbée. Chez certains, cela se manifeste ponctuellement et, chez d'autres, le problème est plus profond et risque ainsi d'être plus durable. Ces perturbations se présentent de diverses manières et résultent de causes multiples. Il peut s'agir d'un comportement en lien avec un trouble du développement, d'une réaction au stress ou la conséquence d'une exposition à la sexualité (exposition à la pornographie, climat sursexualisé

15. Jean-Yves Hayez. *La sexualité des enfants*, Paris : Odile Jacob, 2004.

dans la famille, présence de conflits conjugaux et sexuels qui se règlent devant l'enfant), de négligence ou d'une violence subie, qu'elle soit de nature psychologique, physique ou sexuelle. Les traumatismes sexuels, physiques et affectifs, ainsi que l'exposition inappropriée à la sexualité, directe ou indirecte, contribuent en effet grandement à faire surgir des problèmes chez les enfants.

Malgré la diversité des causes, les enfants qui présentent un comportement sexuel problématique ont des points en commun : ils ont de la difficulté à discerner et à exprimer leurs besoins et leurs sentiments, et ils sont réticents à parler aux adultes de ce qui les préoccupe ou les rend anxieux, en colère ou malheureux. Ils ont un grand besoin qu'on reconnaisse leur situation et que l'on intervienne pour les aider.

Le continuum des comportements sexuels chez l'enfant

Au cours des 15 dernières années, les cliniciens ont observé chez certains enfants la présence de comportements sexualisés que l'on considère comme problématiques. La fréquence relativement élevée de ces comportements, le fait qu'ils révèlent des perturbations et des souffrances et qu'ils engendrent parfois des conséquences très néfastes chez les enfants touchés, a incité cliniciens et chercheurs à se pencher sur la question. Ainsi, une série d'études portant sur ces enfants a permis de mettre au point différents systèmes de classification des conduites sexuelles problématiques. Nous en retenons une en particulier, soit celle de T. Cavanagh-Johnson[15], grâce à laquelle il nous semble plus aisé de comprendre la situation d'un enfant, de tenter de cerner l'origine de ses comportements problématiques et de décider de la marche à suivre : soit

---

16. E. Gil et T. Cavanagh-Johnson. *Sexualized Children : Assessment and treatment of sexualized children and children who molest.* Rockville, MD : Launch Press, 1993.

une intervention rapide par une stratégie éducative précise ou l'orientation vers des services spécialisés pour une évaluation plus approfondie et une intervention particulière.

Cette classification est largement reconnue en recherche et en clinique. Elle a été conçue pour les enfants âgés de 12 ans et moins qui ont un développement global normal, c'est-à-dire qui ne présentent pas de déficience intellectuelle, ni de trouble psychotique ou neurologique. Elle comporte quatre catégories : 1) les enfants qui présentent un comportement d'exploration sexuelle normal, 2) les enfants sexuellement réactifs, 3) les enfants qui ont des comportements sexuels élaborés et consentis, et 4) les enfants qui agressent. Parfois, un enfant se trouve à la frontière entre deux catégories ou passe de l'une à l'autre selon que son problème s'intensifie ou s'amenuise.

L'exploration normale

Dans les chapitres précédents, nous avons décrit de façon détaillée les étapes du développement sexuel normal des enfants, depuis les tout-petits jusqu'aux préadolescents, en tentant de considérer les motivations normales qui sous-tendent leurs comportements. Nous reprenons cette réflexion à la lumière de la première catégorie proposée dans le continuum de Cavanagh-Johnson, celle du comportement d'exploration sexuelle normale.

Un comportement sexuel normal chez un enfant suppose que l'acte — ce qu'il fait ou ce qu'il dit — correspond à son stade de développement psychosexuel. Dans la très grande majorité des cas, le comportement est motivé par une curiosité envers la sexualité, ce qui engendre des activités d'exploration, des commentaires sexualisés et des jeux à connotation sexuelle qui sont de fréquence limitée. Lorsque le jeu sexuel concerne plus de deux enfants, ceux-ci y participent sans contrainte et de façon spontanée. Les enfants sont d'âge et de développement cognitif et physique semblables, et ils sont partenaires de jeux dans d'autres activités ; leur relation transcende ce qui est de l'ordre de la sexualité.

De plus, l'activité se fait dans le plaisir et s'accompagne d'excitation ou de surexcitation ainsi que de ricanements causés par une nouvelle découverte ou par le sentiment du « défendu ». L'enfant éprouve sans doute quelques sentiments négatifs, comme de la gêne, de la honte ou de la culpabilité (qu'il se fasse prendre ou non). Bien que cela varie selon les enfants, ces émotions ne durent généralement pas longtemps. Mais surtout, il n'y a ni peur ni anxiété démesurée. Enfin, lorsqu'un adulte intervient pour arrêter l'activité ou pour l'encadrer, le comportement cesse ou diminue en fréquence, du moins à la connaissance de cet adulte.

Il peut donc arriver qu'un enfant, ponctuellement et en raison d'une urgence de « savoir » ou de « comprendre » quelque chose, ait un comportement sexuel que l'on jugera inapproprié ; par exemple, amener un autre enfant à s'exhiber et le toucher. Dans la mesure où l'on ne retrouve pas les facteurs de risques décrits dans les catégories suivantes et que l'enfant répond rapidement à l'intervention de l'adulte, ce type de conduite rentre dans l'ordre, facilement et rapidement. Il s'agit parfois, en parlant avec l'enfant, de définir la nature de son questionnement et de lui offrir une réponse satisfaisante. On peut également l'aider à canaliser son énergie de façon plus constructive en l'occupant s'il est désœuvré et qu'il s'ennuie.

Les enfants sexuellement réactifs

Chez ces enfants, les conduites sexualisées couvrent un large éventail. Pour certains, le comportement est compatible avec leur stade de développement ; par exemple la masturbation, les comportements exhibitionnistes ou les tentatives de toucher les autres (chez les 2 à 5 ans). Pour d'autres, le comportement paraît d'emblée inapproprié parce qu'il s'apparente trop aux comportements des adultes. Toutefois, dans tous les cas, les conduites sexualisées sont imprévisibles, spontanées, impulsives et compulsives. La sexualité de ces enfants s'exprime par des «débordements», comme en fait foi leur intérêt excessif pour les comportements ou les attributs sexuels des autres, leur tendance à sexualiser les situations de la vie quotidienne ou à évoquer un contenu sexuel dans les jeux ou la conversation.

En quelque sorte, ces enfants n'arrivent pas à *se contenir*. Même l'intervention ou la présence de l'adulte ne suffit pas à les arrêter. En fait, ils s'exposent en public, faisant de leur conduite un appel à l'aide, recherchant désespérément un encadrement qui pourrait en même temps soulager la culpabilité qu'ils éprouvent à se conduire ainsi. Dans ce contexte, on comprend que leurs comportements ne sont pas vraiment tenus secrets puisque l'enfant est comme une petite marmite bouillonnante.

Les enfants ayant des comportements sexuellement réactifs sont souvent d'âge préscolaire ou du début du primaire. Leur activité sexualisée est solitaire ou survient avec des partenaires généralement du même âge. Ils forment un groupe très hétérogène. On y retrouve des enfants qui subissent ou qui ont subi une agression sexuelle, ce qui engendre un grand stress, voire un traumatisme. D'ailleurs, les abus dont ils sont victimes sont souvent récents ou même en cours. D'autres enfants ont été exposés à du matériel sexuel et pornographique ou vivent dans un milieu où l'atmosphère est très chargée sexuellement, parce qu'il existe soit un grand laxisme, soit une promiscuité entre les membres de la famille. Il y a aussi des enfants qui, sans avoir été exposés aux situations que nous venons de mentionner, vivent des stress personnels auxquels ils réagissent par des comportements qui traduisent leur anxiété, incluant des comportements sexualisés. Ces stress peuvent être liés à des relations conflictuelles entre les parents ou entre parents et enfants, ou au fait que la question de la sexualité est massivement réprimée dans la famille.

Le comportement de l'enfant qui a subi une agression sexuelle ou qui a été exposé à des images pornographiques prend souvent la forme d'une reconstitution de ce qui a été vécu ou observé. Il peut donc s'agir d'un comportement d'adulte (contacts bouche-organes génitaux, tentatives de pénétration). L'enfant est dépassé par les émotions vécues et par l'information reçue. Cela suscite en lui de l'incompréhension, de l'anxiété, de la honte ou un sentiment de culpabilité. Il cherche alors, par l'intermédiaire de ces comportements sexualisés, à évacuer ces tensions, à exprimer sa confusion et à trouver un sens à ce qu'il a vécu.

Toutefois, en reproduisant ces gestes ou ces images, il active encore une sexualité «insensée», il ravive son anxiété et sa culpabilité. Il commence à tourner en rond et l'aspect compulsif des comportements prend naissance: les comportements qui visent à apaiser une tension se mettent au contraire à l'augmenter. Cherchant l'apaisement, l'enfant intensifie sensations, émotions et confusion. Dans ce tumulte émotif, les comportements sexualisés aident parfois l'enfant à supporter momentanément les émotions désagréables qu'il éprouve, l'excitation et les sensations sexuelles venant masquer les sentiments négatifs. Mais ce n'est que de courte durée. Inévitablement, les émotions négatives à l'origine des actions sexualisées remontent à la surface.

Si les comportements sont compatibles avec le stade de développement de l'enfant, on tentera d'abord d'identifier la source possible d'anxiété ou de stimulation sexuelle dans la vie de l'enfant. Il est possible de travailler avec sa famille et son entourage à éliminer ou du moins diminuer ces éléments. Toutefois, lorsque le comportement persiste ou qu'il s'avère trop évocateur d'une sexualité adulte, il est nécessaire de faire un signalement à la Direction de la protection de la jeunesse (DPJ) afin qu'on puisse s'assurer que cet enfant n'est pas en danger, au sens où l'énonce la Loi sur la protection de la jeunesse (LPJ). Par ailleurs, ces enfants répondent généralement bien à l'éducation et à l'intervention. Lorsque l'anxiété est réduite et qu'il y a moins de stimulation sexuelle, les comportements sexuels diminuent.

DES COMPORTEMENT EXCESSIFS

Un petit garçon de 3 ans et demi, qui fréquentait une garderie, a été surpris par une éducatrice à tenter d'embrasser un autre enfant de son groupe durant la sieste. Le comportement en soi était compatible avec son âge, mais ce qui alerta son éducatrice, ce fut l'intensité de sa réaction lorsqu'elle lui posa quelques questions. La réaction fut en effet très forte, faite de pleurs, de négation et d'anxiété. Dans le contexte, l'intensité était inattendue et incompréhensible. C'est ce qui donna lieu à une évaluation plus attentive, et on en vint à conclure que, durant les siestes, cet enfant avait malheureusement subi des attouchements de la part d'un éducateur de la garderie.

Par ailleurs, une fillette de 5 ans, qui fréquentait une classe de maternelle, avait des comportements sexualisés à l'école. De façon inopinée et à plus d'une reprise, elle se déshabillait au complet au vestiaire avant le cours de gymnastique. Elle faisait parfois des mouvements suggestifs, comme dans une danse lascive,

(…)

(suite)

ou encore elle émettait des sons évocateurs. Elle s'approchait également des pères de ses camarades de classe et se collait à eux sans retenue. Lorsqu'on la questionnait, on se rendait compte qu'elle connaissait le nom précis de toutes les parties du corps féminin.

Il n'est jamais facile de trouver l'origine de tels comportements. Cependant, dans le cas de cette fillette, il s'avéra qu'elle avait été exposée à du matériel sexuel et que le mode éducatif à la maison était marqué par un très grand laxisme, la sexualité y étant vue comme quelque chose de très naturel. Il y avait chez cette fillette une surcharge d'information qu'elle n'arrivait pas à intégrer et qui paraissait tout aussi surexcitante qu'anxiogène.

Les enfants qui ont des comportements sexuels élaborés et consentis

Les enfants de ce groupe présentent une grande variété de comportements sexuels, incluant des comportements « génitalisés » d'adultes (contact oral-génital, contact génital-génital, pénétration vaginale ou anale). Leurs comportements sont élaborés, précis, planifiés et persistants. Ces enfants, qui connaissent nombre d'autres problèmes, viennent souvent de familles et de milieux dysfonctionnels. La plupart d'entre eux ont subi des agressions sexuelles ou physiques et ont grandi dans des milieux qui négligeaient leurs besoins de sécurité physique, matérielle et affective. Ces milieux sont truffés d'histoires compliquées et douloureuses entre parents et enfants.

Ces derniers y souffrent de carence affective et des troubles qui y sont associés (troubles de l'attachement, du comportement, d'apprentissage).

Ce qui caractérise tout particulièrement ces enfants est le manque d'affect et d'émotions associés à leurs comportements sexualisés. Ils ont tendance à banaliser leur conduite, qui constitue pour eux un mode de relation aux autres, une façon qu'ils ont d'établir des contacts intimes qu'ils ne reçoivent pas dans leur milieu. Leurs besoins affectifs se trouvent dès lors sexualisés.

Ces enfants font appel à la persuasion et à la manipulation pour obtenir d'un autre enfant qu'il participe ou se soumette à l'activité sexuelle, mais ils font rarement usage de violence verbale ou physique. En fait, ils trouvent souvent un autre jeune qui présente des problèmes similaires aux leurs et qui se retrouve dans la même quête affective sexualisée ou dans le même besoin de laisser libre cours à ses pulsions. Les comportements sont souvent gardés secrets par une sorte d'accord mutuel entre les jeunes. Lorsque leurs gestes sont mis à jour, ces enfants ont tendance à les banaliser, ainsi que leur conséquence sur eux-mêmes ou sur les autres. Ils prétendent souvent qu'ils ne faisaient que s'amuser.

Ces jeunes, dont les habiletés sociales sont limitées, sont souvent rejetés par des compagnons qui ont moins de problèmes personnels et sociaux. Par ailleurs, il leur arrive aussi d'accepter les approches de personnes qui peuvent chercher à les exploiter sexuellement. En utilisant leur corps et celui des autres pour exprimer leurs besoins affectifs et trouver des gratifications, ils risquent ainsi d'être victimes d'agressions sexuelles.

La situation dans laquelle se trouvent ces enfants doit être signalée à la Direction de la protection de la jeunesse et faire l'objet d'une évaluation approfondie. Ont-ils été ou sont-ils victimes d'abus sexuel ou physique ou de négligence ?

Risquent-ils de faire de petites victimes en impliquant d'autres enfants dans leurs actions sexuelles ? Une intervention multi-disciplinaire s'avère généralement nécessaire afin de corriger les nombreux problèmes dans la vie de l'enfant, dont les comportements sexualisés ne sont qu'une partie.

PRIS SUR LE FAIT

Durant quelques mois, une relation ponctuée d'épisodes de contacts sexualisés, avec fellations et attouchements mutuels, s'était développée entre deux jeunes, l'un de 10 ans et l'autre de 14 ans. Le premier, issu d'une famille aux problèmes multiples, avait une histoire d'attachements brisés et présentait de graves troubles d'apprentissage. Le second, malgré ses 14 ans, avait un léger retard intellectuel et beaucoup d'immaturité affective. Leurs agissements, mutuels durant un certain temps, se mirent à s'intensifier et auraient pu persister si les enfants n'avaient pas finalement été pris sur le fait.

Les enfants qui agressent

Les enfants qui agressent ont le profil le plus problématique. Leurs comportements sexuels sont génitalisés, compulsifs, planifiés et surtout imprégnés d'agressivité. Leurs conduites sexualisées s'aggravent avec le temps, tant du point de vue du type de conduites que de leur fréquence. Ces enfants ont peu de contrôle sur eux-mêmes lorsqu'ils sont en action et ils éprouvent beaucoup de difficulté à ne pas répéter ces comportements.

Ils recherchent des enfants vulnérables, plus jeunes, plus petits ou plus immatures qu'eux. Ils utilisent la violence verbale ou physique, ou ils manipulent leurs victimes afin de les attirer, d'obtenir leur soumission et de leur imposer le silence. Ils sont peu ou pas sensibles aux souffrances physiques ou morales de leurs victimes, car leur capacité d'empathie est limitée. Leur aptitude à reconnaître leur responsabilité l'est tout autant. Ainsi, lorsque leurs actions sont dévoilées, ils ont tendance à nier leur implication, les gestes posés et leurs conséquences. Dans certains cas, ils agiront de manière à ce que les adultes en sachent le moins possible, afin de pouvoir récidiver.

Ces enfants n'en sont pas arrivés là sans avoir vécu eux-mêmes des situations chroniques de négligence ou de violence. Ils sont souvent issus de familles chaotiques, punitives et imprévisibles. Ils ont été témoins de violence conjugale, violence parfois liée aux relations sexuelles. Souvent, ils sont eux-mêmes victimes de violence dans leur famille. La majorité d'entre eux, comme leurs parents d'ailleurs, ont subi une ou des agressions sexuelles ou physiques. Ces traumatismes et les très grandes carences affectives qu'elles ont engendrées font en sorte que des émotions primaires et intenses s'expriment de manière sexualisée (colère, rage, anxiété, angoisse d'abandon). Et surtout, que sexualité et agressivité, ces deux pulsions humaines fondamentales, sont entremêlées.

Ce sont là des enfants qui demandent une intervention importante étant donné qu'ils représentent un danger pour les autres enfants et pour eux-mêmes. Il faut donc signaler ces situations à la Direction de la protection de la jeunesse. Il est important d'établir dans quelles conditions vivent ces enfants, de voir s'ils sont eux-mêmes victimes de violence et s'ils risquent de mettre des enfants de leur entourage en danger. Notons que, dans cette démarche, il est important de ne pas stigmatiser ces enfants en les étiquetant d'agresseur sexuel. Il s'agit en effet d'enfants ou de préadolescents qui, malgré le caractère répréhensible de leur conduite, vivent eux-mêmes des problèmes graves, en souffrent inévitablement et qui ont un criant besoin d'aide. L'intervention doit se faire sur plusieurs plans, au sein de la famille immédiate et parfois élargie. L'enfant a besoin d'un encadrement sécuritaire pour éviter les risques de récidives. Selon le cas, une démarche psychoéducative, psychologique ou psychiatrique, incluant parfois une médication, sera nécessaire.

UN EXEMPLE D'INTIMIDATION

Malgré son jeune âge, un enfant de 10 ans avait, de façon répétée, contraint sa cousine de 6 ans à des actes sexuels incluant des contacts oraux-génitaux et des tentatives de pénétration. Il utilisait l'intimidation, la menaçant de lui faire du mal si elle ne se soumettait pas à ses demandes. Il avait d'ailleurs, à d'autres moments, fait preuve de violence à son égard, entre autres en lui immergeant la tête sous l'eau lors d'un bain. Il avait donc une grande influence sur elle malgré son jeune âge.

Quelques chiffres

Dix pour cent des jeunes garçons et 13 % des jeunes filles accusés de délits à caractère sexuel ont moins de 12 ans. Selon des études faites par Berliner et Wheeler[17], entre 1980 et 1995, il y a eu une augmentation de 125 à 190 % des arrestations de jeunes de 12 ans et moins pour délits à caractère sexuel. De plus, les jeunes de 13 ans et moins seraient responsables de 13 à 18 % des agressions sexuelles sur les jeunes enfants.

---

17. L. Berliner et J.R. Wheeler. « Treating the effects of sexual abuse on children ». *Journal of Interpersonal Violence* 1987 2 (4) : 415-434.

Fait inquiétant, ces jeunes imitent les comportements d'adolescents et d'adultes et posent des gestes tels que la fellation et la pénétration vaginale ou anale. De plus, ils auraient tendance à recourir à des pairs pour commettre leurs passages à l'acte. Ces jeunes ne peuvent pas être accusés, en vertu de la Loi sur le système de justice pénale pour les adolescents, puisque cette loi s'applique aux enfants âgés de 12 ans et plus. Plus jeunes, c'est la Loi de la protection de la jeunesse qui s'applique et l'enfant sera considéré comme présentant un trouble du comportement.

Quelques mots sur l'intervention

Des chercheurs américains (Berliner et Wheeler) proposent des objectifs d'intervention précis dans le traitement des jeunes présentant des comportements sexuels problématiques et une sexualisation traumatique[18]. Un travail doit être fait avec eux afin de les aider à corriger les idées erronées qu'ils entretiennent à l'égard de la sexualité. On doit aussi pouvoir leur apprendre à développer des stratégies de contrôle interne et externe afin de réduire les manifestations de comportements sexuels inappropriés, d'identifier ce qui les suscite ainsi que les pensées et émotions qui précèdent, accompagnent et succèdent au passage à l'acte.

Le traitement consiste également à les amener à satisfaire leurs besoins d'ordre sexuel d'une manière qui soit acceptable socialement. Lorsqu'on investit ces enfants au plan affectif, ils peuvent mieux arriver à s'investir eux-mêmes dans des activités structurées plus constructives et, surtout, à rechercher le soutien d'un adulte au besoin. Enfin, plusieurs aspects de l'intervention visent l'amélioration des compétences sociales et l'intégration des notions de respect de soi et des autres, de réciprocité relationnelle et d'intimité.

---

18. Idem.

Ces mêmes auteurs soulignent que les interventions doivent tenir compte des valeurs morales et culturelles de la famille à l'égard de la sexualité et que l'engagement des parents dans le traitement est primordiale. Ces derniers doivent reconnaître les comportements sexuels problématiques de leur enfant, en comprendre les mécanismes déclencheurs, mettre au clair pour eux-mêmes certains concepts en lien avec la sexualité, tout en renforçant auprès de leur enfant leur rôle de guides et de donneurs de soins et d'affection.

Attitudes à favoriser avec l'enfant qui agit sexuellement

Être vigilant

- Ne pas laisser l'enfant qui présente un comportement sexuel problématique avec d'autres enfants : les parents, parce qu'ils jouent le rôle de moi auxiliaire, doivent être vigilants. Le message sous-jacent est le suivant : « Tu te contrôle difficilement ? Alors je le ferai avec toi. »

- Ne pas laisser un enfant qui présente un comportement sexuel problématique se changer seul avec d'autres enfants (à la piscine, au gymnase, dans la chambre), aller aux toilettes avec un autre enfant ou jouer dans sa chambre avec un ami quand la porte est fermée.

- Encadrer les jeux dans le cadre desquels l'enfant a fait participer un autre enfant à des activités sexualisées.

- Interrompre calmement l'enfant pris sur le fait ; le faire avec une fermeté chaleureuse, en précisant ce qui se fait et ce qui ne se fait pas. C'est le comportement qui n'est pas « bon » et non pas lui, et vous êtes prêt à l'aider.

Communiquer des notions d'intimité et de respect

- Aborder avec l'enfant les notions de pudeur et d'intimité et les mettre aussi en application dans nos relations avec lui. Si le parent ne met pas ces notions en pratique avec son enfant, ce dernier peut éprouver de grandes difficultés à les intégrer. Par exemple, les toilettes et la chambre à coucher sont des lieux privés, ce sont des pièces dont la porte peut se fermer et où on doit frapper avant d'entrer.

- Interrompre les blagues et les histoires à connotation sexuelle, et donner l'exemple en tant qu'adulte.

Informer et soutenir sur le plan affectif

- Répondre aux préoccupations sexuelles de l'enfant, lui fournir des renseignements clairs, cohérents.

- Dire à l'enfant que vous êtes disponible s'il veut vous parler (pour répondre aux questions et vous occuper de lui).

- Aider l'enfant à trouver des moyens pour interrompre le comportement ; le pousser vers la sublimation en dirigeant l'énergie vers d'autres sphères d'activités. Le parent peut se faire aider pour trouver des activités adéquates à suggérer ou à pratiquer avec l'enfant.

- Aider l'enfant à trouver des activités ludiques et des jeux physiques adéquats afin qu'il puisse vivre des plaisirs partagés avec les autres, ses pairs ou des membres de sa famille. Il est bon de rappeler que les enfants ont besoin d'être touchés. Ceux qui ont tendance à toucher les autres de façon inappropriée sont souvent mis à part, parfois même par leurs parents qui sont mal à l'aise ou qui redoutent leur attitude ambiguë avant même qu'elle se manifeste. Pourtant, ils ont autant besoin que les autres d'être tendrement enlacés et de recevoir des caresses affectueuses.

L'homosexualité

Au fil de leur croissance, garçons et filles vivent des liens privilégiés et fondamentaux avec des pairs du même sexe, et ce dès le plus jeune âge, puis à la période de latence et enfin à l'adolescence. Ces liens jouent un rôle essentiel dans le développement de l'identité sexuée et, faut-il le souligner, ils ne présagent pas d'une future orientation homosexuelle. On pense au rapport intime garçon-papa et fillette-maman dans la phase d'identification qui est au cœur de l'Œdipe ou à la connivence et même à la tendresse entre garçons ou entre filles à la période de latence. N'oublions pas non plus qu'à l'adolescence, des relations de connivence avec le meilleur ami ou avec la meilleure amie sont monnaie courante, et que ces relations sont ponctuées de jalousie lorsque survient une « infidélité ». Enfin, il y a ce besoin chez l'adolescent de s'identifier à un modèle, à un homme (comme lui), à une femme (comme elle), mais selon une version idéalisée[19].

Les expériences homosexuelles

À la préadolescence et, plus tard, à l'adolescence, certains vivent une période de questionnement quant à leur orientation sexuelle. Ils peuvent avoir, de façon temporaire, des relations ou des expériences bisexuelles ou homosexuelles. Qu'un jeune de 9 à 12 ans ait des fantasmes ou ressente une attirance envers une personne du même sexe n'est pas en soi l'indication définitive de son orientation sexuelle. Un enfant, garçon ou fille, peut aussi se laisser entraîner par ses compagnons dans une activité homosexuelle ou avoir besoin de se comparer à un autre du même sexe afin de vérifier s'il est normalement constitué. Il s'agit pour lui d'expérimenter une situation qui

---

19. M. Rufo. *Tout ce que vous ne devriez jamais savoir sur la sexualité de vos enfants*. Paris : Éd. Anne Carrière, 2003.

n'est pas usuelle, d'apaiser certaines angoisses ou de trouver des réponses aux questions qu'il se pose, sans que cela réponde à une orientation et des désirs homosexuels. Toutefois, bien que ces expériences homosexuelles puissent être des formes d'exploration, elles risquent parfois d'être bien mal assumées par le jeune. Chez certains, elles génèrent beaucoup de culpabilité et de crainte puisqu'elles ouvrent la voie à des questionnements relatifs à l'identité sexuelle.

L'identité homosexuelle

Quand on parle d'homosexualité structurelle, on fait référence à quelqu'un qui, dès l'enfance, est attiré par les autres enfants du même sexe sans pour autant rejeter son sexe biologique. Cette tendance vient naturellement et l'enfant ne peut l'empêcher. Elle s'impose malgré toute volonté contraire. Les principales études sur l'homosexualité établissent le pourcentage des personnes homosexuelles à environ 10 % de la population[20].

La question de l'orientation sexuelle, qui prend racine dans l'enfance, est au cœur de l'identité. Des adolescents homosexuels disent s'être sentis différents des autres garçons dès l'âge de 5 ou 6 ans, sans toutefois faire de lien à ce moment-là entre ce sentiment et la sexualité. Des adultes homosexuels se souviennent quant à eux que leurs premières attirances homosexuelles ont eu lieu vers l'âge de 7 ou 9 ans. On estime que c'est en moyenne autour de l'âge de 13 ans que les personnes homosexuelles établissent le lien entre le sentiment d'être différent des autres et leur orientation sexuelle qui s'exprime par une attirance pour une personne de même sexe[21].

---

20. M. Dorais. «L'homosexualité: revu, non corrigé». *Le médecin du Québec* 1993 28 (9): 27-39.

21. «Juste des chiffres et des faits pour vous convaincre». Août 2005. Article sur le web: http://homoedu.free.fr/article.php3?id_article=7&var_recherche=juste+des+chiffres.

Vers l'âge de 8 ou 9 ans, avant même qu'il soit question d'orientation sexuelle, certains enfants se sentent différents de leurs compagnons du fait qu'ils ont, en tant que garçons, des champs d'intérêt féminins ou, en tant que filles, des champs d'intérêt masculins. Ces différences sont plus ou moins marquées et les attitudes garçonnes ou efféminées sont plus ou moins visibles. Cela affecte l'intégration sociale de certains enfants avant même la préadolescence. Soulignons à cet égard qu'il est probablement plus difficile pour les garçons ayant une identité féminine de se voir acceptés et intégrés à leur groupe que pour les filles « garçons manqués ». Ces dernières sont souvent perçues plus favorablement, donnant l'impression qu'elles sont de « petites ambitieuses » qui rivalisent avec les garçons. À cause des préjugés plus marqués à l'égard de l'homosexualité masculine, les petits garçons aux allures efféminées sont rapidement identifiés et affublés de quolibets dévalorisants (*tapette, homo, fifi*).

À la préadolescence, quand l'attirance érotisée devient plus consciente et peuple l'univers fantasmatique, la trajectoire des désirs amoureux devient plus claire et souvent angoissante.

En ce qui concerne les activités sexuelles de ces enfants, soulignons que la masturbation, ainsi que les activités sexualisées partagées (attouchements, embrassades et caresses) s'accompagnent alors généralement de fantasmes concernant une personne du même sexe. Mais cette sexualité demeure celle d'un enfant et il faut qu'elle soit perçue et traitée comme telle. Comme la situation de l'homosexualité est marginale et suscite encore beaucoup de préjugés sociaux, il est difficile pour l'enfant d'en parler avec les autres, qu'il s'agisse de ses amis ou de ses parents.

Les réactions parentales

La plupart des parents réagissent lorsqu'ils constatent que leur enfant a des « tendances » homosexuelles ou qu'ils le surprennent en pleine activité homosexuelle. Certains parents ne voient pas là un problème grave ; leur rapport avec l'homosexualité n'est pas empreint de préjugés défavorables et ils considèrent qu'une personne peut vivre de façon épanouie avec une orientation homosexuelle. Toutefois, de nombreux autres sont submergés par des émotions négatives ou du moins par une grande confusion faite de colère, de honte, d'angoisse et d'incertitudes quant à la façon d'intervenir.

Les parents réagissent nécessairement à partir de l'image ou de l'idée qu'ils se font de l'homosexualité, selon leur éducation et leur système de valeurs. Ceux pour qui l'homosexualité est taboue peuvent parfois réagir de façon inappropriée, ce qui perturbe grandement leur relation à l'enfant. L'homosexualité de ce dernier est vécue avec culpabilité et honte par son parent qui la considère comme le signe d'un échec personnel. Certains pères, en particulier, réagissent très négativement et se sentent menacés dans leur virilité. Il s'agit là de situations très conflictuelles, qui risquent d'engendrer une douloureuse rupture de lien. Les jeunes, qui redoutent particulièrement ce rejet de la part des personnes qu'ils aiment, tendent donc à garder secrète une part de leur personnalité.

La découverte de l'homosexualité et son rejet par le jeune lui-même ou par son entourage, parents et compagnons, peuvent induire une grande détresse allant jusqu'à des comportements suicidaires. Vingt-cinq à 30 % des suicides durant l'adolescence sont liés à ce type de crises. Une étude canadienne de Bagley et Tremblay a révélé un taux de tentatives de suicide jusqu'à 13 fois plus élevé chez les jeunes homosexuels que chez les jeunes hétérosexuels[22].

---

22. C. Bagley et P. Tremblay. « Suicidal behaviors in homosexual and bisexual males ». *Crisis* 1997 18 : 24-34. – Ces chiffres sont des signes ultimes d'une grande détresse psychologique.

Les parents et l'entourage ne doivent donc pas considérer l'enfant sous le seul angle de sa sexualité. Il faut plutôt percevoir l'enfant de façon globale, en tenant compte de ses caractéristiques personnelles. Toutefois, si, dans sa façon de faire et d'être avec ses parents, le jeune utilise une part de sa sexualité pour provoquer, manipuler et déranger, et ce dans le but de communiquer un malaise ou une colère, les parents doivent alors placer des limites en demandant d'être respectés tout en cherchant à laisser la porte ouverte au dialogue dans le respect de chacun.

Le devenir des enfants qui ont un parent homosexuel

Les enfants issus de parents homosexuels ne sont pas différents des enfants de parents hétérosexuels au niveau de l'équilibre psychologique et des habiletés sociales. Un chercheur a examiné 12 études portant sur plus de 300 enfants de parents homosexuels. La comparaison entre les enfants qui vivent avec des parents homosexuels et ceux issus de couples hétérosexuels permet de conclure qu'il n'y a pas de différence significative dans le développement de l'identité sexuelle ou de genre entre les deux groupes d'enfants[23]. L'orientation sexuelle des enfants, qu'elle soit homosexuelle ou hétérosexuelle, était proportionnellement semblable chez les enfants des familles homosexuelles et hétérosexuelles. En définitive, on peut conclure de toutes ces études que l'on retrouve autant d'enfants présentant des problèmes psychologiques ou de comportement dans les familles hétérosexuelles que dans les familles homosexuelles.

---

23. C.J. Patterson, « The family lives of children born to lesbian mothers ». in C.J. Patterson et A.R. D'Augelli (Eds.). *Lesbian, Gay and Bisexual Identities in Families: Psychological Perspectives*. New York: Oxford University Press, 1998. pp. 154-176.

Toutefois, dans tous les cas, et plus précisément dans les couples de parents homosexuels, il importe que les deux parents aient des rôles bien différenciés. Ainsi, l'enfant peut s'identifier à eux selon un modèle basé sur la complémentarité, les caractéristiques de l'un n'étant pas celles de l'autre. Le masculin et le féminin ne devraient pas être confondus, car cela s'avère déroutant pour l'enfant.

Le trouble de l'identité de genre

Certains enfants affichent des préférences et adoptent des manières propres au sexe opposé. Par exemple, une petite fille s'affiche et agit comme « garçon manqué », refuse de porter des vêtements qui ont l'air « fille » et recherche surtout la compagnie des garçons de sa classe avec qui elle tisse ses liens. Ou ce petit garçon qui, depuis quelques années déjà, s'intéresse aux poupées et aime porter des robes de princesses qu'il trouve si jolies quand il tourne sur lui-même. Lorsque cette tendance s'affirme au fil des mois et des années et qu'elle apparaît dans plusieurs contextes, à la maison, à l'école, avec les parents, avec les amis, on se pose bien des questions : que se passe-t-il ? que faire ? quoi tolérer ou interdire ?

Tout enfant peut traverser une période au cours de laquelle il veut faire l'expérience d'être autrement, d'être comme l'autre. Cela est parfois transitoire et motivé, par exemple, par le fait qu'il considère que le petit frère ou la grande sœur a des privilèges fort enviables et qu'il serait bon de lui ressembler. Il ne faut pas confondre ces situations avec celles, plus complexes, des enfants présentant un trouble de l'identité de genre. Ce trouble est peu fréquent chez les enfants prépubères, mais il existe et diffère de celui qu'on retrouve chez les adultes.

Des manifestations observables

Ce trouble de l'identité de genre se présente par une série de manifestations observables avant la puberté et qui persistent durant au moins six mois. Les garçons sont surreprésentés dans les populations cliniques, jusqu'à sept fois plus que les filles. Certains chercheurs attribuent cette surreprésentation des garçons à un plus grand délai à consulter[24]. Remarquons, encore une fois, que les filles au comportement garçonnier sont socialement mieux acceptées que les garçons efféminés, qui se retrouvent beaucoup plus rapidement visés par des moqueries et des sarcasmes de la part des autres.

Quoi qu'il en soit, la fillette aux prises avec ce trouble peut, elle aussi, exprimer une détresse intense du fait d'être une fille. Elle peut souhaiter être un garçon ou, de façon plus rare, insister sur le fait qu'elle « est » un garçon. Elle peut présenter une aversion marquée et persistante pour les vêtements de style féminin et insister pour porter des vêtements de garçon. Certaines manifestent du dégoût pour leurs attributs anatomiques féminins. Des fillettes refusent d'uriner assises ou expriment leur souhait de ne pas avoir de seins. On en voit aussi qui n'aiment pas jouer avec les filles, se tiennent surtout avec des garçons et ont des héros masculins.

Les garçons, pour leur part, montrent aussi des signes de malaise liés au fait d'être des garçons et certains d'entre eux expriment le désir d'être une fille. Ils manifestent leur intérêt pour des attributs et des activités typiquement féminins, revêtant parfois des vêtements de fille. Le petit garçon peut aussi exprimer le désir intense de participer aux jeux et aux passe-temps des filles, et rejeter les activités et les jouets masculins

---

24. K.J. Zucker, S.J. Bradley et M. Sanikhani. « Differences in referral rates of children with gender identity disorder: some hypotheses ». *Journal of Abnormal Child Psychology* 1997 25: 217-227.

stéréotypés qui ne l'intéressent pas. Parfois, cette identification féminine l'amène aussi à emprunter des postures, des mimiques et des expressions féminines. Il peut rejeter de façon persistante ses attributs physiques de garçon et trouver que son pénis et ses testicules sont dégoûtants. Certains prétendent ou espèrent qu'ils disparaissent.

Les causes

Il est difficile de déterminer avec certitude les causes de ce trouble dans l'établissement de l'identité. Elles sont multiples et varient d'un enfant à l'autre. Certaines études évoquent l'influence d'hormones sur le fœtus dans l'utérus ou des éléments d'ordre génétique, qui prédisposeraient l'enfant à développer des désirs, à avoir des goûts et des attitudes contraires à son sexe biologique. On doit aussi considérer les facteurs sociaux, psychologiques et éducatifs. Dans certains cas, la dynamique entre les parents et l'enfant a interféré dans le processus d'identification de l'enfant avec son parent du même sexe, l'Œdipe étant vécu de façon inversée. Le petit garçon s'identifie alors à sa mère et se trouve en désir de séduction avec son père, le choisissant comme objet d'amour, alors que la petite fille s'identifie à son père et à son rôle masculin, cherchant le rapprochement « amoureux » avec sa mère. Les parents eux-mêmes ont parfois, consciemment ou non, de la difficulté à aimer leur fils comme un garçon ou leur fille comme une fille et, ainsi, à proposer et à valoriser des choix ou des attitudes propres à l'autre sexe. De toute façon, il existe rarement une cause unique à une situation aussi complexe.

Lorsque ce trouble de l'identité de genre se manifeste, il engendre toujours une détresse psychologique chez l'enfant et ses parents. L'enfant, incertain de son identité sexuelle ou, quand il est plus vieux, de son orientation sexuelle, se sent différent et souvent incompris de ses parents et de son entourage. Cette situation génère des sentiments conflictuels : frustration de ne pas être accepté tel qu'il est et de devoir se battre pour faire valoir son point de vue, si souvent différent et non conforme aux normes, sentiment de culpabilité du fait de décevoir papa ou maman dans leurs attentes, tristesse de se trouver esseulé, honte d'être tourné en ridicule.

De plus, lorsque cette situation est vécue à la période de latence, la question de la sexualité se trouve alors activée au moment même où l'on s'attend à ce qu'elle soit réprimée ou à ce qu'elle passe un peu inaperçue. La différence affichée par l'enfant fait en sorte que sa sexualité est exposée au regard des autres alors qu'il souhaiterait qu'elle reste pudiquement et normalement de l'ordre du privé. Cette situation peut engendrer chez l'enfant de l'anxiété et parfois des troubles émotionnels et comportementaux. Les symptômes sont alors une façon de dire : « Écoutez-moi, regardez-moi, ça ne va pas très bien. »

Les parents : que faire ?

Les parents ont souvent de la difficulté à se situer par rapport aux choix et aux besoins inattendus de leur enfant, ne sachant trop quoi tolérer ou quoi interdire. Les pères des garçons auraient plus de difficulté que les mères à vivre une telle situation.

Les parents peuvent essayer de faire des compromis par rapport aux demandes de leur enfant et à ce qu'ils estiment être de l'ordre des normes sociales. Par exemple, les parents d'une petite fille de 7 ans qui avait les mêmes intérêts que les garçons consentaient à ce qu'elle choisisse ses vêtements dans le rayon des garçons et qu'elle ait les cheveux coupés très courts. Ainsi, elle avait l'allure d'un garçon. Cependant, lorsqu'il fut question du maillot de bain, et bien qu'elle était prépubère, ils se sentirent très mal à l'aise à l'idée qu'elle porte un maillot de garçon.

De même, les parents d'un garçon qui montrait depuis le plus jeune âge un intérêt systématique pour les jeux, les activités et les vêtements de fille, devaient fréquemment prendre position. Ils lui interdirent de porter des vêtements de fille pour lui éviter d'être montré du doigt en société. C'est d'ailleurs dans ces termes et avec beaucoup d'empathie qu'ils expliquèrent leur décision à l'enfant. Ils l'autorisèrent à pratiquer certains jeux, mais ils lui interdirent de s'amuser avec du maquillage (rouge à lèvres ou vernis à ongles), comme le faisaient ses petites amies. Ayant à négocier très souvent, certains enfants se sentent constamment contraints et souvent non acceptés, leur spontanéité étant sans cesse remise en question.

Ces enfants: que deviennent-t-il?

Dans deux études publiées sur l'orientation sexuelle à long terme de garçons présentant un trouble de l'identité de genre, on remarque surtout une évolution vers l'homosexualité ou la bisexualité, et beaucoup plus rarement vers le transsexualisme ou le transvestisme[25].

Ces enfants ont certainement besoin de soutien pour les aider à supporter l'incertitude et l'anxiété engendrée par leur problème d'identité. «Une évaluation psychologique et psychiatrique approfondie s'avère souvent nécessaire pour mieux comprendre, soulager et conseiller l'enfant et sa famille. Les émotions et les inquiétudes sont souvent intenses et chacun doit pouvoir se situer devant les décisions prises en ce qui a trait aux souhaits exprimés par l'enfant. Ces décisions doivent tenir compte du stade de développement de l'enfant, de leur

---

25. R. Green. «Atypical psychosexual development» in M. Rutter, E. Taylor et L. Hersov (Eds), *Child and Adolescent Psychiatry: Modern Approaches.* 3rd ed. Oxford: Blackwell Scientific Publications, 1994.

impact sur ce dernier et sur sa famille ainsi que des réactions possibles du réseau social de l'enfant[26]».

En intervenant auprès du jeune et de sa famille, on souhaite éviter à l'enfant de s'isoler et de vivre secrètement une part importante de sa vie et de ses envies. On souhaite aussi favoriser son intégration sociale, renforcer une bonne image de lui-même, malgré les doutes et les embûches, et finir par reconnaître avec lui son orientation homosexuelle pour l'aider à être accepté dans son milieu familial et social[27].

L'enfant handicapé

Longtemps, la sexualité des personnes handicapées a été un sujet tabou. La société considérait ces personnes comme des êtres asexués ou comme des personnes ayant une sexualité débridée. Ainsi, on a négligé la question de la sexualité de l'enfant handicapé. Toutefois, les choses ont changé et l'on porte maintenant plus d'attention à ce sujet.

Tout comme chez l'enfant «normal», la sexualité joue un rôle fondamental dans l'élaboration de la structure psychique de l'enfant handicapé. Toutefois, du fait des limitations physiques ou intellectuelles de l'enfant, son développement psychosexuel suit un rythme ou un parcours différent dans lequel se dressent des embûches propres à sa condition. Celles-ci sont différentes selon la nature de son handicap, intellectuel ou physique. Chaque situation est singulière puisqu'il

---

26. B. Zuger. «Is early effeminate behavior in boys early homosexuality?» *Comprehensive Psychiatry* 1988 29: 509–519.

P. Lebovitz «Feminine behavior in boys: aspects of its outcome» *American Journal of Psychiatry* 1972 128: 1283-1289.

Harry Benjamin International Gender Dysphoria Association (HBIGD). «Standards of care for gender identity disorders (6th version)». *Journal of Psychology and Human Sexuality* 2001 13 (1): p.1-30.

27. J.Y. Hayez. *La sexualité des enfants.* Paris: Odile Jacob, 2004.

faut tenir compte du type de handicap, de la personnalité de l'enfant, du vécu des parents et des modes d'adaptation de chacun. Cependant, comme tout enfant, celui qui est handicapé doit pouvoir s'exprimer dans la recherche du plaisir et dans sa quête identitaire.

Tout comme chez l'enfant au développement normal, c'est au sein de sa famille et dans ses rapports avec ses parents que l'enfant handicapé va traverser les étapes de son développement psychosexuel. Or, lorsqu'un enfant présente un handicap, que celui-ci soit identifié dès la naissance ou au cours des premières années, les parents traversent des moments généralement fort difficiles. Ils doivent composer avec un enfant différent, renoncer à l'enfant « normal », s'adapter à ses besoins et l'investir affectivement, malgré la déception ou l'angoisse qu'ils ressentent. Pour certains parents, le lien d'attachement s'établit de façon tout à fait normale. D'autres sont ambivalents : s'entremêlent en eux des sentiments à la fois d'amour et de colère envers leur enfant. Dans certains cas, le lien est démesuré, les parents se consacrant corps et âme à l'enfant, ce qui parfois empêche même celui-ci de développer et d'affirmer sa personnalité propre.

Un handicap physique

Dès sa naissance, un enfant qui présente une malformation physique est considéré comme un enfant particulier. Selon l'allure que prend cette malformation, le parent a plus ou moins de difficulté à toucher et caresser son enfant, comme il le ferait avec tout autre bébé. Un bébé qui présente un handicap physique visible risque de provoquer chez ses parents des comportements différents, qui auront des conséquences sur l'établissement de son identité, sur sa perception de lui-même et sur sa relation avec les autres.

Vers l'âge de 2 ans, l'enfant développe peu à peu son autonomie en marchant, en parlant et en devenant propre. Il s'affirme et s'oppose à ses parents, ce qui le positionne comme «un grand». À cet égard, l'enfant handicapé physiquement présente parfois un développement psychomoteur ralenti ou même une incapacité à faire certains apprentissages. On pense par exemple à un enfant paraplégique qui ne marche pas et qui n'arrive pas à maîtriser ses sphincters. Cet état rend l'enfant dépendant de l'adulte sur une plus grande période pour des soins quotidiens et intimes. Les comportements d'affirmation et d'opposition ne surgissent pas de la manière attendue; ils peuvent être exacerbés par la frustration, la colère ou, au contraire, ils sont inhibés par le manque d'autonomie et la dépendance envers les parents. Par ailleurs, la surprotection exercée par certains parents risque d'atténuer leur réaction aux comportements d'opposition, ce qui laisse l'enfant sans appui ferme pour apprendre à réguler ses humeurs par lui-même, de l'intérieur.

À partir de l'âge de 3 ans, l'enfant se rend progressivement compte qu'il est un être sexué et il s'identifie au parent de même sexe, en développant une relation privilégiée avec le parent de sexe opposé. Le complexe d'Œdipe entre alors en jeu, comme pour tout autre enfant. Cependant, lorsqu'une relation plus fusionnelle s'est établie entre la mère et son enfant, les enjeux œdipiens ne peuvent se déployer normalement et ce, quel que soit le sexe de l'enfant. Ainsi, tandis que la petite fille doit se distancier de sa mère, sa dépendance par rapport à cette dernière ne lui permet pas de se poser en rivale comme une fillette à part entière qui revendique sa différence. Il en est de même pour le garçon, qui peut avoir de la difficulté à s'arracher à sa mère au moment où il devrait pouvoir s'identifier à son père. Or, on sait qu'il faut pouvoir se séparer psychiquement de sa mère, que l'on soit garçon ou fille, pour que puisse se vivre la situation œdipienne qui préfigure les relations à l'être aimé de la période de l'adolescence et de l'âge adulte.

De plus, il est rare que le parent auquel l'enfant va s'identifier au sortir de l'Œdipe ait un handicap comparable au sien, et il représente donc un modèle difficile à atteindre. Développer son identité sexuée, se sentir fille ou garçon, suppose de pouvoir se reconnaître comme tel en se comparant aux autres. Cela est parfois compliqué quand le handicap prend toute la place et qu'il en ressort le sentiment d'être tout simplement différent des autres, comme une « espèce à part ».

Par ailleurs, les comportements qu'adoptent les adultes, parents ou prestataires de soins, s'avèrent parfois infantilisants ou humiliants pour l'enfant handicapé. Certains soins d'hygiène ou d'autres soins quotidiens entrent en conflit avec le désir pudique de l'enfant de ne pas être vu dans sa nudité ou touché sur certaines parties du corps.

Enfin, pour certains enfants, le corps n'est pas nécessairement une source de plaisirs et de sensations agréables. Parce qu'ils reçoivent des traitements ou parce qu'ils font beaucoup d'efforts dans leurs exercices de réadaptation physique, ils ne perçoivent pas leur corps comme pouvant participer au principe du plaisir. Il leur est difficile alors de concevoir qu'ils peuvent y avoir accès.

L'enfant qui présente un handicap physique doit donc relever de grands défis pour accepter et apprivoiser un corps différent de celui des autres. Cela est encore plus ardu quand vient le temps de la puberté, au moment où augmentent les pulsions et les désirs sexuels, ainsi que l'attraction pour les personnes du sexe opposé.

Un handicap intellectuel

Quand l'enfant souffre d'un handicap intellectuel, les parents ne font habituellement face à la situation que plusieurs mois, voire années après sa naissance, à moins que ce handicap fasse partie d'un syndrome comportant des dimensions physiques. En effet, le bébé qui présente une déficience intellectuelle a souvent une apparence normale. L'attachement précoce est alors moins difficile à établir que dans le cas d'un handicap physique. L'enfant est donc investi sur les plans affectif et physique autant que tout autre bébé.

Ce sont des retards dans le développement de l'enfant qui soulèvent chez les parents des interrogations et qui provoquent les premiers soucis. Selon le cas, il est difficile d'acquérir la marche, les habiletés motrices fines, la maîtrise de la propreté ou du langage. Le rythme est plus lent et certaines habiletés se mettent à stagner. C'est alors le choc pour les parents, qui vivent une blessure narcissique, doivent faire le deuil de l'enfant rêvé et composer avec un avenir incertain.

Chez l'enfant handicapé intellectuel (ce qui représente environ 2 % de la population), on observe des déficits dans les mécanismes de pensée qui ont un impact, entre autres choses, sur la sphère du développement psychosexuel et sur les comportements en lien avec l'expression de la sexualité. Bien entendu, les étapes de développement (phases orale, anale, etc.) demeurent les mêmes, mais elles se succèdent à un rythme correspondant à l'âge mental. C'est à son âge mental et non à son âge chronologique qu'il faut référer pour interpréter le comportement de l'enfant handicapé sur le plan intellectuel.

Les parents d'un enfant qui présente une déficience intellectuelle éprouvent une certaine inquiétude lorsqu'ils le voient découvrir ses organes génitaux et se demandent quoi faire. Ils craignent que la découverte des sensations de plaisir l'amène à rechercher à nouveau ces sensations. La masturbation excessive, sans égard au lieu et aux personnes de l'entourage, constitue en effet un problème souvent rencontré chez les enfants et adolescents ayant une déficience intellectuelle. Cette situation est en lien direct avec la façon dont leur cerveau traite l'information et arrive à moduler leurs comportements. La tendance à l'impulsivité et à la désinhibition, le besoin de satisfaction immédiate et l'inaptitude à juger du caractère inapproprié de son comportement font en sorte que l'enfant se masturbe trop souvent et en s'exposant aux autres. Il ne cesse ce comportement que lorsqu'il a satisfait sa pulsion ou qu'un adulte est intervenu avec autorité. Pour les mêmes raisons (impulsivité, désinhibition, manque de jugement ou tentatives maladroites d'affirmation de soi), l'enfant peut faire des remarques à connotation sexuelle déplacées. Comme avec un tout-petit, il faut alors le prendre à part et lui rappeler, par des consignes simples et répétées, le caractère intime de ces comportements.

On peut également tenter d'intéresser l'enfant à d'autres activités. Son énergie n'est pas bloquée et peut s'exprimer dans une voie plus acceptable. Par contre, la recherche du plaisir et du bien-être doit rester possible, car si on l'entrave systématiquement, on freine en même temps le développement psychique de l'enfant.

Au moment de l'acquisition de l'identité sexuelle, l'enfant handicapé intellectuel peut reconnaître lui-même son caractère différent; non pas en fonction de l'appartenance à un sexe ou à l'autre, mais plutôt en fonction de la différence qui le caractérise par rapport aux autres enfants. Comme s'il existait, à l'étape de différenciation des sexes, une troisième possibilité, celle de l'identité «handicapé». Notons, à titre d'exemple, cette réflexion d'un enfant de 5 ans, rapportée par la psychanalyste Simone Sausse: «Mon petit frère a un pénis et moi je suis trisomique[28].»

---

28. S. Sausse. *Le miroir brisé: l'enfant handicapé, sa famille et le psychanalyste.* Paris : Calmann-Levy, 1996.

L'éducation sexuelle de l'enfant vivant avec un handicap

Dans le cas de ces enfants, il faut tenir compte de leur âge mais surtout de leur degré de développement. Respecter leur dignité, c'est reconnaître leur identité physique et psychique, et c'est montrer du respect pour leur pudeur à l'égard de leur corps, de leurs pensées, de leurs secrets et de leurs liens affectifs, voire de leurs amours d'enfant. C'est aussi leur offrir une information à leur mesure.

Les adultes doutent parfois de la nécessité de donner une éducation sexuelle aux enfants ayant un handicap intellectuel sous prétexte qu'ils risquent de ne pas comprendre. Toutefois, les personnes qui œuvrent auprès de ces enfants se rendent compte que ceux qui n'ont pas reçu d'information sur la sexualité vivent une grande angoisse, particulièrement au moment des transformations corporelles à la puberté (menstruations, érection). L'éducation à la sexualité d'un enfant ayant un handicap intellectuel ressemble au cheminement que l'on ferait avec un tout jeune enfant ; on doit commencer tôt, être à l'affût des questions, directes ou indirectes, et donner des explications en tenant compte du niveau de développement cognitif et affectif du petit. Bien que toute l'information ne soit pas comprise, il y a maintenant la possibilité d'un dialogue grâce auquel on peut redonner l'information et l'illustrer avec des exemples concrets. En fonction de la nature du handicap, certains aspects pourraient être abordés de manière plus spécifique.

Quant aux jeunes handicapés physiques, ils doivent apprendre que la sexualité a de multiples formes d'expression, autant sur le plan affectif que sur celui de la sensualité, qui peuvent leur permettre de découvrir des moyens de s'épanouir sexuellement.

La vulnérabilité de l'enfant avec un handicap intellectuel

Les parents d'un enfant handicapé intellectuellement craignent souvent qu'il soit victime d'agression sexuelle ou physique. Cette crainte est justifiée, car ces jeunes sont plus vulnérables et ils risquent plus d'être des victimes. Une récente étude américaine a établi que les enfants ayant une déficience intellectuelle risquaient 3,7 fois plus d'être négligés, 3,8 fois plus d'être victimes de violence physique et psychologique et 4,0 fois plus d'être victimes de violence sexuelle [29].

Cette vulnérabilité a plusieurs causes. D'une part, étant donné leur retard sur le plan cognitif, leur aptitude à porter de bons jugements est limitée ; ils peuvent ainsi être entraînés à faire confiance à des gens mal intentionnés. De plus, ils ont souvent peu de connaissances sur la sexualité et sur la prévention des agressions. D'autre part, ils ont parfois de la difficulté à dévoiler une situation d'exploitation sexuelle ou, s'ils y arrivent, on ne les croit pas nécessairement. Il faut donc faire preuve de vigilance et rendre ces enfants plus compétents en les outillant. À cet égard, la prévention est un mot clé ; les principes sont similaires à ceux appliqués de façon générale avec les enfants. Toutefois, il faut toujours adapter l'information au niveau de développement intellectuel de l'enfant.

29. P.M. Sullivan et J.F. Knutson, «Maltreatment and disabilities : A population-based study,» *Child Abuse & Neglect* 24, 10 (2000) : 1257-1273.

Chapitre 6

L'éducation à la sexualité et la prévention des agressions sexuelles sur les enfants

▼

> « …L'éducation à la sexualité est le levain de
> l'adaptation de l'individu à la société »
>
> *Françoise Dolto*[30]

L'éducation sexuelle

Hier, on leur disait « la cigogne est passée… ». Aujourd'hui, l'époque n'est plus aux réponses maladroites qui laissaient les enfants avec leurs interrogations. Désormais, le fait de parler de la sexualité constitue une étape essentielle dans l'apprentissage des petits et des plus grands. Les parents ont un rôle majeur d'éducation, d'information et de prévention. Ils sont les premiers éducateurs en matière de sexualité, en particulier lorsqu'ils interagissent avec l'enfant, lui parlent, le caressent et jouent avec lui dès ses premiers jours.

Au cours des toutes premières années, l'enfant pose les bases de son avenir affectif et sexuel, ainsi que de sa confiance en soi et aux autres. En répondant sans honte ni gêne à ses questions, en réagissant sereinement à ses agissements, les parents lui transmettent une image saine de la sexualité et instaurent un climat de confiance. Cela sera très important à

---

30. F. Dolto. *Psychanalyse et pédiatrie*. Paris : Éditions du Seuil, 1971. p. 63.

l'adolescence afin qu'ils puissent maintenir avec lui une communication authentique.

Toutefois, on ne décide pas, un bon matin, que le moment est venu de parler de sexualité avec l'enfant. L'éducation sexuelle ne se résume pas à deux ou trois petites leçons, après quoi on n'en parle plus ! Il s'agit plutôt d'un processus continu, qui débute très tôt et qui se poursuit tout au long du développement. Au cours de ce processus, il est question d'autre chose que de transmettre des connaissances théoriques, souvent vite oubliées de toute façon.

Malheureusement, il n'est pas rare que des enfants soient d'abord renseignés sur la prévention des abus sexuels ou des infections transmises sexuellement avant d'entendre parler d'amour, d'émotion, d'intimité et de plaisir. Les réponses qu'on leur propose ont souvent des allures techniques et se présentent sous un angle biologique, anatomique et mécanique : « Voilà comment on est fait… », « Voilà comment ça se fait… », « Voilà ce qu'il ne faut pas faire ! ». Les enfants sont aussi exposés à la sexualité par l'intermédiaire de toute cette information qui leur arrive sous la forme d'images explicites et de références véhiculées par les médias et la publicité ; sont ainsi présentées des images troublantes et « surstimulantes » que ni les parents, ni les enfants n'ont sollicitées.

Si on désire que l'éducation sexuelle contribue à l'épanouissement physique, psychologique, affectif et social de l'enfant, il faut rectifier le tir et se demander quelle image de la sexualité et quelles valeurs nous voulons transmettre à nos enfants.

Quand et comment parler de sexualité avec son enfant

Parler de sexualité avec son enfant ne signifie pas qu'il faut l'exposer à la sexualité telle qu'elle est comprise ou vécue par les adultes. Il faut le faire en se plaçant du point de vue de l'enfant. Il s'agit donc de regarder avec ses yeux et de penser avec ce qu'on croit qu'il peut voir et comprendre ! Une information mal adaptée n'aide pas l'enfant à grandir. Au mieux, elle est inutile. Au pire (et malheureusement, c'est trop souvent ce qui se produit), elle lui fait peur et constitue une forme d'agression contre son imaginaire.

Les enfants doivent entendre parler tôt de la sexualité et de façon authentique. Il est souvent nécessaire, quoique difficile, de faire un compromis entre en dire plus ou en dire moins. Cependant, il importe de toujours dire vrai, en évitant les fables comme celle des bébés conçus par magie ou celle du pénis qui tombe si on le tripote trop.

De plus, il est préférable d'utiliser les termes justes pour désigner les parties du corps et les parties génitales. Pour certains, ces mots sont encore empreints de tabous. Ainsi, un pénis devient un *zizi*, un *pipi* ou une *quéquette*, les testicules sont des *gosses* ou des *couilles*, le vagin s'appelle *bizoune* ou *noune*, les seins sont des *boules* et l'anus, un *péteux*. Que de termes imagés, mais souvent inutiles pour éviter de parler de pénis, de vagin, de vulve, de testicules... Les mots qu'on utilise pour nommer les organes génitaux suivront l'enfant, année après année. Pourquoi alors ne pas utiliser les vrais termes, que les enfants comprennent par ailleurs et qu'ils apprennent aussi facilement que les autres mots ?

Pour être significative, l'éducation sexuelle doit rejoindre l'enfant dans sa vie de tous les jours. D'ailleurs, le quotidien fournit une multitude d'occasions d'aborder avec l'enfant nombre d'aspects de la sexualité. Ainsi, le changement de couche de la petite sœur ou le bain partagé par le frère et la sœur sont des occasions de constater les différences anatomiques entre les deux sexes et d'en discuter. Le baiser échangé entre papa et maman ou entre deux personnages d'une série télévisée permet de faire allusion à la relation privilégiée qui existe entre deux personnes qui s'aiment, même si elles sont de même sexe, ce qui s'avère étonnant pour plusieurs enfants. Le déshabillage et les soins d'hygiène sont autant d'occasions de parler d'intimité et de respect de son corps et de celui des autres.

Question de parents

▶ **Comment réagir si l'enfant surprend ses parents à faire l'amour ?**

Certains parents craignent que leur enfant les surprenne à faire l'amour et qu'il en demeure traumatisé. Évidemment, on tentera d'éviter que cela se produise, mais le cas échéant, il faut éviter la panique et le climat de catastrophe. Gardez votre calme, évitez de renvoyer l'enfant rapidement, dans un climat d'anxiété, comme s'il avait commis un «crime». Si vous sentez votre enfant inquiet, rassurez-le et répondez aux questions qu'il vous pose. Il a pu entendre des bruits et des sons qui suscitent sa curiosité ou qui l'effraient.

Les enfants peuvent percevoir l'acte sexuel comme un acte d'agression entre les parents. Il est important de préciser que personne ne se faisait mal, qu'il s'agissait de câlins et de caresses que seules les grandes personnes se font quand elles s'aiment beaucoup, que ces caresses sont agréables à donner et à recevoir, mais qu'il s'agit d'un moment intime entre les parents. C'est pourquoi, lorsque la porte de la chambre est fermée, il faut frapper et attendre avant d'entrer.

Suivre le rythme de l'enfant

L'enfant ne cesse de s'interroger sur la sexualité selon le rythme de son développement et en fonction de son contexte de vie. Le parent, en faisant œuvre d'éducation sexuelle, doit toujours tenir compte du stade de développement de l'enfant. Par exemple, les enfants d'âge préscolaire veulent des renseignements concrets et factuels, et n'apprécient pas les discours. Quant à ceux d'âge scolaire, ils ont besoin d'une information plus détaillée et précise, et ils n'aiment pas nous voir tourner autour du pot. Il faut aussi noter que les enfants ont généralement d'autres sources où se renseigner sur la sexualité : les amis, les enseignants, les voisins, la télévision, la musique, les livres, les publicités et l'Internet. Il faut en tenir compte pour être à même de mieux les suivre et les aider à départager la réalité de la fiction et les bonnes informations des moins bonnes.

Comme on désire s'adresser à l'enfant en tenant compte de ses besoins propres, on a avantage à le faire parler un peu avant de lui répondre. On peut très bien lui demander : « Qu'en penses-tu, toi ? », « Pourquoi te demandes-tu cela ? » En l'amenant à élaborer un peu plus sa pensée, on est en mesure d'évaluer son niveau de connaissance et de vocabulaire, et d'adapter l'information à ce qu'il sait déjà et à ce qu'il veut savoir. Par exemple, un enfant de 4 ans peut désirer comprendre comment sont conçus les bébés : il est prêt à entendre parler de la rencontre entre une petite graine du papa et l'œuf qui est dans le ventre de la maman, mais il ne veut pas savoir de quelle façon elle s'y rend et n'a pas besoin non plus de le savoir.

En outre, on s'aperçoit parfois qu'on n'a pas grand-chose à dire puisque bon nombre d'observations faites par l'enfant n'ont besoin, pour l'instant, que d'être validées : « Hé oui, c'est comme ça, tu as bien raison ! »

Par ailleurs, comme le disait Françoise Dolto, « il faut savoir reconnaître la question cachée », car les enfants ne posent pas toujours de questions directes, surtout lorsqu'il s'agit de sexualité. Ils prennent souvent un chemin détourné pour faire comprendre que quelque chose les tourmente. Enfin, bien que l'enfant soit curieux et qu'il semble avide de réponses, il est préférable d'éviter une information trop directe et complète sur la sexualité. Mieux vaut y aller étape par étape pour éviter la surcharge d'information. Sans oublier qu'il n'est pas mauvais que l'enfant ait des petits trous à combler et qu'il recoure à son imagination et à sa capacité de réfléchir et d'élaborer des théories.

Les attitudes parentales

La plupart des parents reconnaissent l'importance de parler de sexualité avec leurs enfants, mais certains éprouvent de la difficulté à le faire. Ils vivent parfois des émotions allant de la gêne à l'anxiété. La capacité de traiter de ces questions varie beaucoup d'une personne à l'autre, non seulement en fonction du niveau d'éducation, mais aussi des expériences antérieures de chacun. Certains adultes ont grandi dans un milieu familial où la sexualité était un sujet tabou. D'autres ont vécu des expériences sexuelles négatives, voire traumatisantes. Interagir avec son enfant sur les questions d'ordre sexuel peut être vu comme embêtant et désagréable. Le parent doit alors se questionner sur les raisons de ce malaise. Est-il en lien avec l'éducation sexuelle que j'ai reçue? Avec des expériences particulières que j'ai vécues? Quelle est ma perception de la sexualité? Ce malaise est-il présent dans ma vie sexuelle d'adulte? Lorsque le fait de parler de sexualité soulève une anxiété envahissante qu'on n'arrive pas à comprendre, il peut s'avérer pertinent de consulter un spécialiste afin d'y voir clair. L'adulte en profite, et l'enfant également.

En effet, comme les enfants sont très sensibles aux réactions de leurs parents, ils captent aussi très rapidement leurs malaises. Et souvent, les jeunes enfants qui reçoivent de leurs parents un message négatif au sujet de la sexualité hésitent ensuite à se tourner vers eux pour en discuter. Le silence sur une question ou son évitement perturbent parfois davantage qu'une réponse honnête.

Pourquoi, dans ces conditions, ne pas reconnaître ce malaise et demander un petit délai, tout en reconnaissant le bien-fondé de la question : « C'est une très bonne question que tu me poses, je ne sais pas trop quoi te dire, laisse-moi réfléchir avant de répondre parce que ta question est importante. » On y revient plus tard avec un peu plus d'aisance, après s'être interrogé sur les causes de cet inconfort et avoir trouvé, parfois avec de l'aide, une réponse à offrir. Dans certains cas, le parent préfère confier la tâche de répondre à l'enfant à un autre membre de la famille ou à une autre personne qui compte pour lui. Toutefois, il faut y revenir sans faute, car les enfants n'oublient pas les promesses qui leur sont faites ! Si l'on évite le sujet par la suite, l'enfant risque d'interpréter cela comme une interdiction d'en parler davantage. Cela risque de charger le sujet d'un tabou qui peut entraîner une interprétation négative de la sexualité ou une curiosité précoce qui s'exprimera de façon détournée.

Les zones d'ombre : un abri pour les parents et les enfants

Malgré notre désir d'informer et de communiquer avec notre enfant, une partie de son développement psychosexuel nous échappe et se déroule à notre insu, selon un processus naturel. Évitons donc d'être trop intrusifs et proactifs. Les enfants apprécient qu'on fasse preuve de discrétion comme on leur demande de le faire pour nous. Par ailleurs, s'il est bon, parfois, de recourir à notre expérience personnelle pour communiquer avec nos enfants, ces derniers préfèrent sans doute que nous le fassions de façon relativement pudique. Il y a des situations où un enfant n'aime pas devoir imaginer son parent, en partie parce que le refoulement a fait son œuvre et que les désirs œdipiens sont enfouis dans l'inconscient.

L'éducation sexuelle à la maison et à l'école

L'école n'est pas seulement un lieu d'apprentissage, mais également un milieu de vie. Les enfants passent beaucoup de temps à l'école et dans le milieu de garde. Ils y font de nouvelles expériences, y vivent leurs premières amours et les chagrins qui les accompagnent, ils s'identifient à leurs compagnons et partagent aussi avec eux le résultat de leurs «enquêtes» sur le fait sexuel. Il arrive aussi parfois que certains enfants soient rejetés parce qu'ils sont «différents».

L'école est donc un lieu privilégié pour apporter à l'enfant des connaissances et pour favoriser les échanges sur la sexualité. Pendant de nombreuses années, l'éducation sexuelle dans les écoles a été centrée sur l'acquisition de connaissances au plan biologique ou préventif. Cependant, avec les nouvelles réformes scolaires, on essaie d'aborder la sexualité dans sa globalité.

Les objectifs d'une éducation sexuelle, tels qu'ils sont définis dans les programmes du ministère de l'Éducation, consistent à «favoriser l'intégration harmonieuse de la dimension sexuelle de la personne tout en considérant les normes de la collectivité[31]» dans une perspective d'«accompagnement de

---

31. Gouvernement du Québec, ministère de l'Éducation. *L'éducation à la sexualité dans le contexte de la réforme de l'éducation.* Québec: ministère de l'Éducation, 2003. p. 7.

l'enfant, de l'adolescent vers un épanouissement personnel tant physique et affectif, qu'individuel et social[32]. »

Évidemment, l'influence des parents demeure essentielle. L'éducation sexuelle provenant de l'extérieur de la famille n'est bien intégrée que si elle est initiée, soutenue et complétée à la maison. Les parents valident l'information communiquée ou la contredisent, ce qui arrive quand des valeurs différentes s'entrechoquent. Malgré tout, ce n'est que lorsque chacun émet clairement ses idées que l'enfant peut formuler ses propres choix.

Certains parents considèrent que l'éducation sexuelle est un sujet intime, qui doit être discuté en famille et non à l'école ou en public. D'autres, en raison de leurs expériences personnelles, se sentent mal outillés pour le faire eux-mêmes. Dans ce cas, l'éducation sexuelle offerte à l'école permet de suppléer à celle qui n'est pas transmise à la maison. Des études récentes ont démontré qu'il y a peu ou pas d'éducation sexuelle dans certaines familles. Au Québec, seule une famille sur trois donnerait une éducation sexuelle adéquate. De plus, on constate que c'est surtout la mère qui s'occupe de l'éducation sexuelle des enfants et que les filles seraient davantage informées que les garçons, puisqu'il est plus facile pour un parent de parler de sexualité avec un enfant du même sexe que lui.

En définitive, soulignons que l'éducation à la sexualité revient à un ensemble de partenaires : parents, professionnels de l'éducation et intervenants extérieurs formés dans ce domaine. Chacun a son rôle à jouer et sa place à prendre.

---

32. Coordination de l'aide aux victimes de maltraitances, Secrétariat général, Ministère de la Communauté française. « *Dossier pédagogique : Comment bien traiter la sexualité des enfants ?* » Paris : Ministère de la Communauté française, 2001.

Le rôle des médias

La télévision et l'Internet ne sont pas de véritables outils d'éducation à la sexualité parce qu'ils ne répondent pas nécessairement aux questions que se posent les enfants et parce qu'ils ne calment pas leurs angoisses. Toutefois, il peuvent servir d'outils accessoires, quand les parents supervisent, interprètent et guident un enfant qui passe de longues heures devant ces médias. Selon une étude américaine[33], des jeunes de 8 à 12 ans passeraient de 6 à 8 heures par jour devant la télévision ou l'Internet.

Les enfants sont abreuvés et bombardés d'images et d'information fournies par ces médias. Nécessairement, l'interprétation qu'ils en font varie selon leur âge, leur développement intellectuel et affectif ainsi que leur environnement. Il n'est pas rare que les médias induisent chez les enfants une confusion entre réalité et fantasme. Ils donnent fréquemment une image faussée de l'amour et de la sexualité en banalisant les comportements sexualisés et l'acte sexuel, et ils traitent le plaisir de manière immédiate, tout en donnant une image déformée des rapports entre les hommes et les femmes. La vigilance s'impose. Pas nécessairement pour censurer ou contrôler tout ce qui est vu et entendu par les enfants, mais plutôt pour s'assurer qu'ils ne soient pas laissés seuls et qu'ils puissent trouver des personnes de confiance avec qui en discuter.

Pour prévenir les agressions sexuelles

Les enfants n'ont ni l'expérience, ni la maturité nécessaire pour savoir et surtout pour comprendre que des personnes veuillent profiter d'eux, les agresser et leur faire du mal. Par

---

33. J.D. Brown et E.M. Witherspoon. «The mass media and the American adolescents' health». *Journal of Adolescent Health* 2002 31 : 153-170.

ailleurs, cette perspective n'est pas sans inquiéter les parents. Comment protéger les enfants de telles expériences néfastes et traumatisantes ? Faut-il leur en parler ? Et comment le faire ? Certains s'inquiètent. Doit-on informer les jeunes enfants de la perversité sexuelle de certains adultes ? Est-il légitime de leur faire perdre leur innocence en les informant sur la vie et ses dangers ? Risque-t-on de briser leurs élans affectueux envers leurs parents et les personnes de leur entourage, d'affecter leur confiance spontanée envers les adultes, une confiance dont ils ont besoin pour bien grandir ? Comment les éduquer pour qu'ils interagissent avec leur environnement en minimisant la vulnérabilité inhérente du fait d'être un enfant, sans toutefois les effrayer inutilement ?

Le contenu des programmes de prévention

Les programmes de prévention destinés aux enfants abordent la question sous différents aspects. De façon générale, on explique à l'enfant que son corps lui appartient et qu'il peut refuser que l'on touche ou que l'on caresse ses parties sexuelles ou toute autre partie de son corps. On lui montre qu'il a le droit de refuser d'être approché par une personne s'il ressent de l'inconfort ou un malaise, et on l'amène à être à l'écoute de ses propres sentiments dans diverses situations. On tente de l'aider à distinguer les « bons » touchers des « mauvais » et à reconnaître les situations plus dangereuses.

Dans ces programmes, il est aussi question de la notion de « secret » : il y a ces secrets qui sont agréables à garder pour soi et il y a les autres, ceux qui nous rendent triste et qu'il est important de révéler. À cet égard, on amène l'enfant à identifier les personnes de confiance auprès desquelles il peut se confier et recevoir de l'aide. Le but ultime consiste à rendre l'enfant moins vulnérable sans toutefois l'amener à stigmatiser son entourage.

Quelques critiques

On considère généralement que ces programmes rendent les enfants plus compétents et permettent à certains de saisir l'occasion de dévoiler une agression sexuelle dont ils seraient victimes. Toutefois, certains auteurs émettent des réserves dont il convient de tenir compte.

Dans des recherches effectuées sur les effets de ces programmes, on a noté chez certains enfants des réactions négatives, comme la peur, l'insécurité et les fausses allégations d'abus sexuels. Hubert Van Gijseghem, psychologue et professeur à l'École de psychoéducation de l'Université de Montréal, estime que l'information transmise par ces programmes peut aussi être perçue comme suggestive. « Suggérer que des adultes puissent vouloir abusivement franchir leur intimité crée d'emblée, écrit-il, un contexte hautement suggestif », ce qui fait en sorte que « l'enfant peut dès lors interpréter nombre de gestes vécus comme étant de nature abusive[34]. »

Les effets des programmes de prévention varient selon l'âge de l'enfant, même s'il n'y a pas de consensus sur ce sujet. En effet, certains chercheurs ont observé qu'en réaction à l'information reçue, les enfants plus vieux se montrent davantage inquiets et anxieux que les plus jeunes, alors que d'autres concluent que ces mêmes enfants (âgés de 7 à 12 ans) sont ceux qui bénéficient le plus de tels programmes de prévention[35], entre autres parce qu'ils arrivent à mieux saisir deux concepts clés de la prévention : 1) un membre de leur famille ou

---

34. H. Van Gijseghem (Éd.). *Us et abus : de la mise en mots en matière d'abus sexuel*. Montréal : Éditions du Méridien, 1999. p. 108.

35. M. Kenning, T. Gallmeier, T. Jackson et S. Plemons. « Evaluation of child sexual abuse prevention programs ». Paper presented at the *Third National Conference on Family Violence*, University of New Hampshire, 1987.
D.A. Daro. « Prevention of child sexual abuse ». *Future of children* 1994 42 (2) : 198-223.

quelqu'un qu'ils connaissent peut les toucher d'une manière qui n'est pas acceptable, et 2) ils peuvent refuser qu'on les touche d'une manière qui les met mal à l'aise[36].

Cela étant dit, il nous semble qu'il reste primordial de tenir compte de l'âge de l'enfant en matière de prévention; c'est une question d'efficacité et de respect pour eux. Il ne faut pas oublier que les enfants, surtout en bas âge, ne comprennent pas certains messages, même si ceux-ci nous paraissent évidents. De plus, nous sommes convaincus qu'une information occasionnelle ne constitue pas une solution efficace et que, s'il est utile de leur fournir certains renseignements, d'autres peuvent provoquer de l'angoisse et nuire à leur paix d'esprit.

Le cœur de la prévention

Les enfants ont d'abord besoin d'entendre parler d'amour, bien avant d'écouter des histoires de transgression et de risques d'agression. C'est là le cœur de la prévention. Apprendre à se connaître, à prendre soin de soi, à s'estimer, à se faire confiance, à se respecter, à exprimer ses émotions et à communiquer avec les autres, voilà le fondement de la prévention. Ce sont d'ailleurs en fait les lignes directrices de la plupart des programmes de prévention des agressions sexuelles. Dans cette voie, la prévention devrait compléter l'éducation sexuelle générale. Parler avec l'enfant de ce qui constitue l'intimité corporelle et affective l'amène à considérer son corps et sa sexualité comme précieux et dignes de respect. Il se sent alors plus à l'aise, plus apte à assumer sa sexualité, à se positionner devant les propositions qui lui sont faites et à s'en défendre si nécessaire.

---

36. L. Tutty. «What children learn from sexual abuse prevention programs : difficult concepts and developmental issues». *Research on Social Work Practice* 2000 10 (3): 275-300.

Protéger les enfants : l'affaire de qui ?

Malgré tous les efforts de prévention et d'information auprès des enfants, ceux-ci restent vulnérables. Ce sont des enfants et ils sont désavantagés dans un rapport de force avec un adulte ou une personne plus âgée qui a une influence sur eux, soit parce qu'il s'agit d'une personne qu'ils aiment, soit parce qu'ils se sentent menacés ou manipulés. Il n'est pas facile de dire non à un adulte mal intentionné, surtout lorsqu'il fait partie de la famille ou de son réseau de connaissances ; or, c'est ce qui arrive la plupart du temps lorsqu'un enfant est agressé. Identifier les personnes douteuses ou pressentir les situations à risque de maltraitance (exploitation, violence, racket, abus) ne relève pas de la compétence des enfants.

On ne peut pas demander aux petits d'assumer eux-mêmes leur sécurité. La prévention des agressions sexuelles ne relève certainement pas de leur responsabilité, mais plutôt de celle des adultes qui, en tant que membres d'une société, veulent et doivent protéger les enfants. Comme le souligne Hubert Van Gijseghem, «la prévention ne sert à rien tant qu'elle s'adresse uniquement aux enfants». Selon lui, il faudrait s'adresser aux adolescents et aux jeunes adultes, qui représenteraient un grand pourcentage des agresseurs ou ceux en devenir, en les sensibilisant à leur responsabilité et à l'impact de leurs gestes sur les enfants. Les futurs parents constitueraient aussi une cible privilégiée ; on peut utilement les renseigner sur la sexualité infantile et les sensibiliser à la nécessité de bien superviser et d'encadrer leurs enfants.

Tout enfant a le droit qu'on s'assure de la compétence des personnes à qui on le confie, qu'on veille à ce qu'il circule en toute sécurité, par exemple en s'assurant qu'il est accompagné pour se rendre à l'école, qu'on l'encadre en connaissant son réseau social et en sachant en tout temps où et avec qui il se trouve.

La sécurité de l'enfant passe par une plus grande responsabilisation des adultes en général, qu'ils soient parents ou éducateurs. Ce ne sont pas les enfants qu'il faut changer ou mettre en garde. Il faut plutôt adapter les conditions physiques, familiales, sociales et psychologiques dans lesquelles les petits évoluent afin qu'ils vivent en sécurité[37].

---

37. Les auteurs travaillent actuellement à la préparation d'un ouvrage sur la question des agressions sexuelles sur les enfants et leur prévention. L'ouvrage devrait paraître à la fin de 2007.

Conclusion

▼

La sexualité de l'enfant, voilà un sujet très vaste, marqué de nombreuses étapes, de découvertes étonnantes et parfois d'embûches, mais qui, dans l'ensemble, renvoie à un processus essentiellement naturel. La sexualité de l'enfant, un monde où se côtoient désirs, plaisirs, curiosité, affirmation de soi, autant de réalités que nous avons avantage à redécouvrir avec des yeux d'enfant.

Acceptons que la sexualité de l'enfant soit un cheminement qui ne nous concerne pas toujours, puisqu'il est vécu de façon personnelle et intime par l'enfant. Toutefois, soyons présents quand, à d'autres moments, il a besoin de notre part d'un regard ou de quelques mots qui le rassurent et lui montrent qu'il n'est pas seul. Reconnaissons que nous avons un rôle indispensable à jouer pour l'informer et lui transmettre les règles de vie : ce qui est accepté, toléré ou encore strictement défendu. Et surtout, établissons avec lui les bases d'un dialogue auquel il peut recourir dès qu'il en a besoin.

Nous espérons que ce livre contribuera à une réflexion qui nous mènera à poser un nouveau regard sur la sexualité des enfants. Nous souhaitons qu'il nous permette, en tant qu'adultes, de mieux les comprendre et de mieux les accompagner. Puissions-nous les regarder évoluer en gardant l'esprit ouvert et en appréciant les défis qu'ils nous lancent en grandissant.

ANNEXES

▼

Le développement psychosexuel «normal» chez l'enfant de 0 à 12 ans

L'enfant de 0 à 2 ans

- L'enfant est très près de ses parents avec qui il a des contacts sensuels sur l'ensemble de son corps.

- Progressivement, l'enfant se sépare psychiquement de la figure maternelle (processus de séparation-individuation) et peut s'attacher à un objet favori (objet transitionnel) symbolisant la mère en son absence.

- De 0 à 15 mois, la bouche est une zone érogène importante par laquelle se fait l'exploration du monde et l'expérience du plaisir (phase orale).

- De 15 mois à 2 ans et demi, la zone anale prend de l'importance au niveau des sensations et des enjeux qui y sont associés (phase anale avec apprentissage du contrôle, tant des sphincters que de soi-même et de la relation à l'autre).

- L'enfant explore l'ensemble de son corps, motivé par la curiosité et la recherche de plaisir sensuel.

- Des réflexes d'érection et de lubrification sont présents. Sans être des réactions à des stimulations érotiques, ce sont des réponses au toucher (changement de couche…), à la friction ou au besoin d'uriner.

- Le garçon découvre ses organes génitaux vers 8 mois et la fille, vers 10-12 mois, avec autostimulation génitale occasionnelle.

- La masturbation est fréquente dès 20 mois. Elle a comme objectif l'apaisement (parfois obtenu par des bercements), le réconfort et la recherche du plaisir.

- L'enfant aime être nu et il a tendance à vouloir regarder le corps des autres ou à vouloir le toucher.

- Il est curieux de la fonction d'élimination et progressivement des différences anatomiques homme-femme.

- C'est le début de l'acquisition de l'identité de genre ; l'enfant peut différencier garçons et filles par les attributs externes comme les vêtements et la coiffure.

- Avec l'apparition du langage, il peut désigner des parties du corps, y compris les organes génitaux.

L'enfant de 3 à 5 ans

- C'est l'époque de la pensée concrète et de la pensée magique, de l'imagination, des fantasmes et des peurs diverses. Progressivement, l'enfant fait une meilleure distinction entre le réel et l'imaginaire.

- La symbolisation est acquise et l'enfant joue abondamment à des jeux de rôle (papa-maman, docteur, marié), motivé par la curiosité et le désir d'expérimentation des rôles sexuels.

- Il y a un renforcement de l'attachement et un désir de rapprochement avec le parent du sexe opposé (phase œdipienne).

- Dans ce cadre, l'enfant affirme son propre sexe ; son identité sexuelle est en voie d'être établie.

- Il manifeste un intérêt marqué pour les différences anatomiques, pour l'origine des bébés, les fonctions d'élimination et les orifices du corps.

- Il se masturbe à l'occasion, motivé par un besoin de détente, de réconfort ou de plaisir.

- Il y a une augmentation de l'exhibitionnisme (il aime être nu et se montrer) et du voyeurisme (il s'intéresse au corps d'autrui, adulte ou enfant) au moment du bain, de la toilette, de l'habillage…

- Il a le désir de toucher les parties du corps des parents (seins, pénis) davantage dans le cadre d'une curiosité et d'une recherche des limites que d'une activité sexuelle comme telle.

- Il pratique des jeux sexuels occasionnels avec ses amis ou avec sa fratrie (exploration mutuelle).

- Dans le langage, il fait référence aux fonctions d'élimination ou à l'anatomie sexuelle (pipi, caca, fesses, pet… pouet !).

L'enfant de 6 à 8 ans (période de latence)

- *D'une part*, l'enfant investit la sphère scolaire ; il a le désir de se conformer aux normes sociales, il intègre les interdits (comportements sexuels faits secrètement) et des conventions sociales concernant la sexualité et les rôles sexuels.

- L'enfant a besoin d'intimité, de pudeur au sein de la famille ; il est embarrassé devant la nudité ou les références à la sexualité.

- Il manifeste du dégoût pour les relations hétérosexuelles et se regroupe avec des pairs du même sexe.

- Il y a un retour vers un meilleur contact avec le parent du même sexe (résolution de l'Œdipe).

- *D'autre part*, il a des comportements de désinhibition occasionnels (brèche dans les mécanismes de défense), de masturbation privée occasionnelle, de jeux sexuels secrets avec les pairs (comparaisons du corps, touchers interactifs…). Ces jeux peuvent être hétérosexuels ou homosexuels sans que cela soit indicatif de son orientation sexuelle future.

- Il échange de l'information avec ses pairs et pose des questions plus précises aux adultes sur la conception et la naissance ; le développement de la pensée abstraite contribue à ces nouveaux questionnements.

- Il fait des blagues et utilise parfois un langage vulgaire dont il ne comprend pas toujours le sens réel.
- Son sentiment d'identité sexuelle est établi et reste constant.
- Les jeux de rôles sociaux (papa-maman, etc.) sont importants.

L'enfant (préadolescent) de 9 à 12 ans

- Au cours de cette période de transition vers l'adolescence, il y a l'apparition de la puberté et le développement des caractéristiques sexuelles secondaires qui génère une certaine fierté ou une certaine gêne.
- Le développement de l'image de soi est très affecté par les commentaires extérieurs et la comparaison avec la norme (intégration des normes sociales).
- Sensations sexuelles et masturbation privée ou parfois mutuelle (dont la motivation est plus clairement la recherche de plaisir orgasmique) sont présentes.
- Il y a apparition des fantasmes.
- L'intérêt pour le sexe opposé s'accroît; cette période marque le début des fréquentations et de l'intimité physique (baisers, attouchements).
- Le préado recherche de l'information sur la fonction des organes sexuels et en discute avec ses pairs.
- Il manifeste beaucoup de pudeur et il accorde de l'importance à l'intimité face à la nudité.
- Le préado a une plus grande prise de conscience de son identité et de son orientation sexuelle.

F. St-P.

M.-F. V.

Sexualité, religion et culture: quelques remarques

Nous ne pouvons parler de la sexualité de l'enfant sans évoquer les notions de culture et de religion qui teintent notre personnalité et celle de nos enfants, de même que notre rapport à la sexualité. La sexualité faisant partie intégrante de ce que nous sommes, elle est automatiquement teintée par ces valeurs.

La présence de plus en plus grande de personnes d'origines ethniques différentes dans nos sociétés fait en sorte que nous sommes, nous et nos enfants, en relation avec des hommes et des femmes venus d'un peu partout dans le monde. De plus, avec l'abolition des distances, les enfants voyagent de plus en plus et entrent en contact avec des personnes de cultures et de religions différentes de la leur.

La nudité

Selon le pays dans lequel nous nous trouvons, la nudité peut avoir une plus ou moins grande connotation sexuelle. On n'a qu'à penser aux plages de France ou de Grèce où les femmes se baignent les seins nus de façon naturelle. On peut se référer également aux bains pris en famille, même avec les grands-parents, au Japon et dans les pays nordiques. Cependant, dans les pays arabes de confession musulmane, dévoiler le corps des femmes est proscrit et certains vêtements (robe sans manches, short…) sont considérés comme impudiques. Avec la moins grande influence de la religion dans nos sociétés, dévoiler en partie son corps est considérablement moins tabou. Mais au cœur des familles, les règles à ce sujet varient encore grandement.

L'éducation sexuelle

L'éducation sexuelle varie non seulement d'une famille à l'autre, mais également d'une culture à une autre. Dans certaines cultures, les parents et les membres de la famille (tantes, oncles, sœurs aînées ainsi que grands-parents) transmettent aux jeunes enfants les connaissances, les comportements à adopter et les valeurs reliés à leur culture et à leur religion concernant la sexualité. L'éducation se fait à la maison, au sein de la famille (cultures asiatiques, musulmanes, judaïques), alors que, dans nos sociétés occidentales, on a plutôt tendance à confier cette tâche à l'école ou à des spécialistes (sexologue, infirmière, etc.).

La puberté

Certaines étapes du développement psychosexuel ont des connotations différentes selon la religion à laquelle on adhère. Ainsi, selon la religion islamique, la puberté représente un changement crucial, une perte de l'innocence enfantine. La première éjaculation du garçon et les premières menstruations de la fille les rendent impurs, ce qui les oblige dorénavant à la pratique des ablutions afin d'avoir accès au sacré (participation à la prière et aux autres activités religieuses).

L'allaitement maternel

Dans l'ensemble des sociétés, l'allaitement maternel est perçu de façon positive, surtout pour l'enfant. Cependant, sa signification et son déroulement varient selon les cultures ou les religions. Ainsi, au Mali, on croit que c'est grâce au lait maternel que se crée le lien de « sang » entre la mère et son enfant. Ainsi, selon cette croyance, deux enfants qui ont été nourris par la même femme ne peuvent s'épouser même s'ils ne sont pas biologiquement parents.

Les conditions d'allaitement diffèrent selon la perception qu'on a de la nudité. En Inde, lorsqu'une femme allaite son enfant, elle se couvre entièrement d'un voile.

La circoncision

La pratique de la circoncision varie beaucoup d'une culture à l'autre. Les motifs qui la favorisent ou la proscrivent sont aussi sujets à des fluctuations sociales, culturelles et religieuses. D'après différents auteurs, la circoncision est pratiquée chez les enfants qui ont entre 5 et 8 ans en Algérie, 9 ou 10 ans en Égypte méridionale, entre 10 et 15 ans chez les Sénégalais et à peine quelques semaines après la naissance en Arabie. Selon la religion juive, la circoncision doit être effectuée le huitième jour après la naissance, à moins d'un avis médical contraire. C'est au père qu'il incombe de préparer la cérémonie qui doit se dérouler tôt le matin. Le Coran, de son côté, ne parle pas de circoncision. Cependant, plusieurs musulmans la considèrent comme obligatoire ou fortement recommandée. Elle se pratique sur les garçons entre l'âge de 7 et 13 ans. On le constate, le même rite sanctionne tantôt l'entrée dans l'enfance, tantôt dans l'adolescence, sans jamais être lié à la puberté physiologique.

La circoncision pratiquée immédiatement après la naissance est apparue en Angleterre à l'époque victorienne. On craignait que la présence du prépuce favorise la masturbation. On la pratiquait pour assurer au jeune garçon «une meilleure hygiène physique et mentale». Sa pratique s'est largement étendue au Canada et aux États-Unis. Mais depuis quelques années, la Société canadienne de pédiatrie ne la recommande plus.

Les démonstrations affectives

Les démonstrations affectueuses, comme un baiser sur la bouche ou une étreinte devant les enfants, relèvent aussi des valeurs familiales, culturelles ou religieuses. Dans certaines cultures d'Asie, toute démonstration affective devant une personne est considérée inappropriée et déplacée. En Chine, pour exprimer leur affection aux enfants, les adultes vont leur caresser la tête ou l'épaule ou leur toucher le menton. Par contre, en Europe, il y a profusion d'embrassades et d'étreintes, même entre personnes du même sexe.

F. St-P.

M.-F. V.

ANNEXE 3

Liste des questions de parents et des questions d'enfants

Questions de parents

ANNEXE 4

La Loi sur la protection de la jeunesse

La Loi sur la protection de la jeunesse (LPJ) existe depuis de nombreuses années au Québec. Elle a été promulguée afin de protéger les enfants et les adolescents qui vivent des situations qui compromettent ou peuvent compromettre leur sécurité et leur développement. Les enfants victimes de mauvais traitements physiques, sexuels ou psychologiques, qui sont exploités ou abandonnés ou qui présentent de sérieux troubles de comportements sont visés par cette loi.

La Direction de la protection de la jeunesse (DPJ) est une instance qui découle de cette loi. Elle a pour mandat d'évaluer ces situations et d'intervenir pour les faire cesser.

Toute personne qui a des raisons de croire qu'un enfant est en difficulté, au sens où l'énonce la LPJ, doit le signaler à la DPJ. L'article 38 définit une série de situations où l'on considère que la santé ou le développement de l'enfant est compromis. En voici quelques-unes, qui touchent plus particulièrement aux sujets traités dans ce livre.

«Art 38 ... La sécurité ou le développement d'un enfant est considéré comme compromis :

g) s'il est victime d'abus sexuels ou est soumis à des mauvais traitements physiques par suite d'excès ou de négligence ;

h) s'il manifeste des troubles de comportement sérieux et que ses parents ne prennent pas les moyens nécessaires pour mettre fin à la situation qui compromet la sécurité ou le développement de leur enfant ou n'y parviennent pas. »

Il n'est pas nécessaire d'avoir des preuves pour faire un signalement, mais plutôt un *motif raisonnable* de croire qu'un enfant est en situation de compromission. Et toute personne a alors *l'obligation* de signaler, tant les professionnels, enseignants et éducateurs qui travaillent auprès des enfants que tout citoyen qui les côtoie.

L'article 39 de la loi stipule que toute personne qui a un motif raisonnable de croire que la sécurité ou le développement d'un enfant est compromis est tenue de le signaler sans délai au Directeur de la protection de la jeunesse. De même, tout professionnel, employé d'un établissement, enseignant ou éducateur qui est impliqué auprès d'un enfant, qui lui prodigue des soins ou toute autre forme d'assistance et qui a un motif raisonnable de croire que sa sécurité ou son développement est ou peut être compromis, doit le signaler sans délai.

Il arrive qu'un enfant ou un adolescent veuille signaler sa situation ou celle d'un autre enfant (frère, sœur, amis) à la DPJ. Dans un tel cas, l'article 42 nous rappelle que tout adulte qui en a connaissance doit lui apporter le soutien nécessaire pour ce faire.

Faire un signalement à la DPJ éveille parfois des appréhensions chez certaines personnes. Il est important de rappeler qu'il s'agit d'une obligation au sens de la loi et que celle-ci s'assure de maintenir la confidentialité du signalant. Ainsi, son identité ne sera pas dévoilée à moins qu'il y consente (article 44). De plus, le fait de signaler ne peut entraîner des menaces de poursuite en justice (article 43).

Contenu d'un signalement

Lorsqu'on signale la situation d'un enfant, les renseignements suivants permettent à la DPJ d'évaluer s'il retient ou non ce signalement et, si le signalement est retenu, de mettre de l'avant des mesures d'urgence (si elles sont nécessaires) et de débuter son évaluation et son intervention. Il s'agit de renseignements qui permettent d'identifier l'enfant et ses parents, et qui décrivent les motifs qui nous amènent à s'inquiéter à son sujet.

- Nom de la personne qui signale, les coordonnées pour la rejoindre ; lien avec l'enfant signalé (cette information sera gardée confidentielle).
- Nom de l'enfant, sa date de naissance, son adresse, son numéro de téléphone.
- Noms de ses parents ou de son ou de ses tuteurs.
- Description de la situation, des faits et des gestes posés.
- Verbalisations de l'enfant (s'il y a lieu) et identité de la personne qui a reçu les verbalisations.
- Symptômes physiques (s'il y a lieu).
- Identité du présumé agresseur (si elle est connue) et son lien avec la victime.
- Durée de l'abus (isolé ou chronique).
- Réactions de la victime.
- Réactions du ou des parents (s'ils sont au courant).
- Capacité du ou des parents à protéger l'enfant (si l'abus provient de l'extérieur de la famille.).

RÉFÉRENCES BIBLIOGRAPHIQUES
▼

BAGLEY, C. et P. TREMBLAY. «Suicidal behaviors in homosexual and bisexual males». *Crisis* 1997 18 : 24-34.

BEAUDIN, Anouk. «Identité et orientations sexuelles». *Vies à Vies - Bulletin du service d'orientation et de consultation de l'Université de Montréal* 2001 13 (3): 2.

BERLINER L. et J.R. WHEELER. «Treating the effects of sexual abuse on children». *Journal of Interpersonal Violence* 1987 2 (4) : 415-434.

BETTELHEIM, Bruno. *Les blessures symboliques: essai d'interprétation des rites d'initiation*. Paris: Gallimard, 1971.

BRAZELTON T.B. et B. CRAMER. *Les premiers liens*. Paris: Stock, 1990.

BROWN, J.D. et E.M. WITHERSPOON. «The mass media and the American adolescents' health». *Journal of Adolescent Health* 2002 31 : 153-170.

CHAMPONNOIS, Christine. «Handicap et sexualité: aspects psychologiques» in Association des paralysés de France (Éd.), *Déficiences motrices et situations de handicaps*. Paris: APF, 2002. pp. 92-99.

CLERGET, Stéphane. *Nos enfants aussi ont un sexe: comment devient-on fille ou garçon?* Paris: Robert Laffont, 2001.

Coordination de l'aide aux victimes de maltraitances, Secrétariat général, Ministère de la Communauté française. *Dossier pédagogique: Comment bien traiter la sexualité des enfants?* Paris: Ministère de la Communauté française, 2001.

CRÉPAULT, Claude. *La sexvanalyse*. Paris: Éditions Payot & Rivages, 1997.

CRÉPAULT, Claude. *Protoféminité et développement sexuel.* Québec: Presses de l'Université du Québec, 1986.

DARO, D.A. «Prevention of child sexual abuse». *Future of children* 1994 42 (2): 198-223.

DEVILLE J. et S. MUSELLE. «Qualité de vie et approche d'une problématique particulière de santé chez les personnes handicapées: la vie affective et sexuelle». *Bulletin d'éducation du patient* 1998 17 (1): 25-27.

DOLTO, Françoise. *Psychanalyse et pédiatrie.* Paris: Éditions du Seuil, 1971.

DORAIS, Michel. «L'homosexualité: revu, non corrigé». *Le médecin du Québec* 1993 28 (9): 27-39.

DUPRAS, André. «Sexualité et handicap : de l'angélisation à la sexualisation de la personne handicapée physique». *Nouvelles pratiques sociales* 2000 13 (1) : 173-189.

ÉLIE, Marie-Pierre. «La vie secrète de bébé». *Québec science* 2000 38 (7): 32-37.

FRIEDRICH, W.N. et al. «Normative sexual behavior in children: a contemporary sample». *Pediatrics* 1998 101 (4): e9.

Gouvernement du Québec, ministère de l'Éducation. *L'éducation à la sexualité dans le contexte de la réforme de l'éducation.* Québec: ministère de l'Éducation, 2003.

GREEN, R. «Atypical psychosexual development». in M. Rutter, E. Taylor et L. Hersov (Eds), *Child and Adolescent Psychiatry: Modern Approaches.* 3rd ed. Oxford: Blackwell Scientific Publications, 1994.

Harry Benjamin International Gender Dysphoria Association (HBIGD). «Standards of care for gender identity disorders (6th version)». *Journal of Psychology and Human Sexuality* 2001 13 (1): p.1-30.

HAYEZ, J.Y. *La sexualité des enfants.* Paris: Odile Jacob, 2004.

Isaacs, Susan. «On the nature and function of phantasy». *International Journal of Psychoanalysis* 1948 29: 73-97; republished in Melanie Klein, Paula Heimann, Susan Isaacs and Joan Riviere, *Developments in Psychoanalysis*. London: Hogarth Press, 1952, pp. 67-121.

«Juste des chiffres et des faits pour vous convaincre». Août 2005. Article sur le web :
http://homoedu.free.fr/article.php3?id_article=7&var_recherche=juste+des+chiffres

Kenning, M., T. Gallmeier, T. Jackson et S. Plemons. «Evaluation of child sexual abuse prevention programs». Paper presented at the *Third National Conference on Family Violence*, University of New Hampshire, 1987.

Kernberg, P.F. et al. *Personality Disorders in Children and Adolescents*. New-York: Basic Books, 2000.

Lebovitz, P. «Feminine behavior in boys: aspects of its outcome». *American Journal of Psychiatry* 1972 128: 1283-1289.

Lemay, M. «Qu'est devenue la sexualité infantile?» *Prisme* 2004 43: 28-48.

Meyfroet, Monique. «La prévention des abus sexuels et le respect du développement de l'enfant» in E.A. Sand et F. Goossens (Éds), *L'abus sexuel de l'enfant*. Bruxelles: Fonds Houtman, 1996. Tome I (Actes de colloque).

Olivier, Christiane. *L'enfant et sa sexualité*. Paris: Fayard, 2001.

Organisation mondiale de la santé et l'UNICEF. *Stratégie mondiale pour l'alimentation du nourrisson et du jeune enfant*. Genève: OMS, 2003.

Patterson, C.J. «The family lives of children born to lesbian mothers» in C.J. Patterson et A.R. D'Augelli (Eds.). *Lesbian, Gay and Bisexual Identities in Families: Psychological Perspectives*. New York: Oxford University Press, 1998.

PIERREHUMBERT, Blaise. *Le premier lien : théorie de l'attachement.* Paris : Odile Jacob, 2003.

ROBERT, Jocelyne. *Parlez-leur d´amour et de sexualité : faire l´éducation sexuelle de ses enfants et de ses ados.* Montréal : Éditions de l'Homme, 1999.

RUFO, Marcel. *Tout ce que vous ne devriez jamais savoir sur la sexualité de vos enfants.* Paris : Éd. Anne Carrière, 2003.

Santé Canada. *Perspective multiculturelle de l'allaitement maternel au Canada.* Ottawa : Ministère de travaux publics et Services gouvernementaux Canada, 1997.

SAUSSE, S. *Le miroir brisé : l'enfant handicapé, sa famille et le psychanalyste.* Paris : Calmann-Lévy, 1996.

SEGAL, Hanna. *Introduction à l'œuvre de Mélanie Klein.* Paris : PUF, 1983.

SELZ, M. *La pudeur, un lieu de liberté.* Paris : Buchet/Chastel, 2003.

SULLIVAN, P.M. et J.F. Knutson. « Maltreatment and disabilities : a population-based study ». *Child Abuse and Neglect* 2000 24 (10) : 1257-1273.

TERRISSE, Bernard, Daniel S.L. ROBERTS, Ercilia PALACIO-QUINTIN et Brenda E. MACDONALD. « Effects of parenting practices and socioeconomic status on child development ». *Swiss Journal of Psychology* 1998 57 (2) : 114-123.

TURNER, J., C. CHAMBERLAND, A. HAMELIN et M. TOURIGNY. *Analyse descriptive d'un service d'intervention psychosociale en CLSC pour enfants, de 6 à 12 ans, victimes d'abus sexuel ou manifestant des comportements sexuels problématiques.* Montréal : Institut pour le développement social des jeunes, 2001.

TUTTY, L. « What children learn from sexual abuse prevention programs : difficult concepts and developmental issues ». *Research on Social Work Practice* 2000 10 (3) : 275-300.

VAN GIJSEGHEM, Hubert (Éd). *L'enfant mis à nu - L'allégation d'abus sexuel: la recherche de la vérité.* Montréal: Éditions du Méridien, 1992.

VAN GIJSEGHEM, Hubert. *La prévention est-elle de mise à l'heure actuelle? Que faudrait-il faire pour faire vraisemblablement «plus juste»?* Lausanne, Conférence de l'Association DIS NO, 1998.

VAN GIJSEGHEM, Hubert (Éd.). *Us et abus: de la mise en mots en matière d'abus sexuel.* Montréal: Éditions du Méridien, 1999.

WINNICOTT D.W. *L'enfant et sa famille.* Paris : Payot, 1978.

ZUCKER, K.J., S.J. BRADLEY et M. SANIKHANI. «Differences in referral rates of children with gender identity disorder: some hypotheses». *Journal of Abnormal Child Psychology* 1997 25: 217-227.

ZUGER, B. «Is early effeminate behavior in boys early homosexuality?». *Comprehensive Psychiatry* 1988 29: 509–519.

Ressources

▼

Services d'écoute téléphonique au Québec et associations

Association des centres jeunesse du Québec
Tél. : (514) 842-5181
Fax : (514) 842-4834
Site web : www.acjq.qc.ca

Si vous croyez qu'un enfant est victime d'agression sexuelle, il faut le signaler au Directeur de la protection de la jeunesse du Centre jeunesse de votre région. Les coordonnées se trouvent dans la section « Besoin d'aide ? » du site web de l'Association des centres jeunesse du Québec.

Éducation coup-de-fil
Tél. : (514) 525-2573
Fax : (514) 525-2576
Courriel : ecf@bellnet.ca
Site web : www.education-coup-de-fil.com

Service de consultation professionnelle téléphonique gratuit, confidentiel et anonyme. Pour aider à solutionner les difficultés courantes des relations parents-enfants. Parents, enfants et adolescents peuvent y avoir recours. Le service est ouvert de septembre à juin.

Gai écoute : centre d'écoute téléphonique et de renseignements des gais et lesbiennes du Québec
Tél. : (514) 866-0103
Tél. sans frais : 1-888-505-1010

Service d'écoute téléphonique et de référence. Confidentiel, anonyme et gratuit, ce service est accessible tous les jours pour toutes questions relatives à l'homosexualité.

Jeunesse j'écoute
Ligne d'écoute : 1-800-668-6868
Fax : (416) 586-0651
Site web : www.jeunesse.sympatico.ca

Service national de consultation professionnelle gratuit, confidentiel et anonyme s'adressant spécifiquement aux jeunes. Accessible 24 heures par jour, 7 jours par semaine, *Jeunesse j'écoute* offre des services d'évaluation, de soutien affectif, de thérapie brève, de renseignement et de référence vers des services locaux. Le site web permet de poser des questions à un conseiller et contient plusieurs textes informatifs pour les jeunes.

La Ligne Parents
Ligne d'écoute : (514) 288-5555
Téléphone sans frais : 1-800-361-5085

Intervention et soutien téléphonique pour les parents d'enfants de 0 à 18 ans, 24 heures par jour, 7 jours par semaine. Gratuit, confidentiel et anonyme.

Tel-jeunes
Ligne d'écoute : (514) 288-2266
Ligne d'écoute sans frais : 1-800-263-2266
Site web : www.teljeunes.com

Service québécois d'intervention téléphonique et de référence pour les jeunes de 5 à 20 ans. Gratuit, anonyme, confidentiel et accessible 24 heures par jour, 7 jours par semaine. Le site web contient plusieurs textes et forums de discussion sur des thèmes de première importance pour les jeunes.

Services d'écoute téléphonique en Europe

Services d'écoute téléphonique des EPE
École des Parents et des Éducateurs (France)
Site web : www.ecoledesparents.org/epe/ecoute.html

Pour toutes les questions sur les relations enfants/parents, l'éducation, la scolarité, la psychologie et l'information sociale. Les coordonnées de ces services téléphoniques dans toutes les régions de la France sont disponibles sur le site web.

Télé-Parents
École des Parents et des Éducateurs (Belgique)
Ligne d'écoute : 02. 736 60 60
Site web : www.ecoledesparents.be

Permanence téléphonique anonyme, du lundi au vendredi.

Allô Parents
École des parents (Suisse)
Ligne d'écoute : 022. 733 22 00

Permanence téléphonique anonyme pour parler à chaud d'une question familiale ou éducative.

Sites Internet

Association des sexologues du Québec
www.associationdessexologues.com

L'éducation sexuelle de l'enfant
Service vie
www.servicevie.com/02Sante/Sex/Sex28052001/sex28052001.html

Ma sexualité.ca
Société des obstétriciens et gynécologues du Canada
www.masexualite.ca

Ma sexualité.ca - Adolescents
Société des obstétriciens et gynécologues du Canada
www.masexualite.ca/adolescents

Ma sexualité.ca - Parents
Société des obstétriciens et gynécologues du Canada
www.masexualite.ca/parents

PetitMonde : le magazine web des parents
www.petitmonde.com

Suggestions de livres pour les parents

Dolto en héritage II : Fille ou garçon ? La naissance de l'identité sexuelle
Antier, Edwige
Paris : Robert Laffont, 2006. 298 p. (Réponses)

Élever un garçon aujourd'hui : en faire un homme, pas un macho
Clerget, Stéphane et Pascale Leroy
Paris : Albin Michel, 2005. 133 p. (C'est la vie aussi)

Élever une fille
Preuschoff, Gisela
Paris : Marabout, 2006. 251 p. (Marabout enfants)

L'enfant et sa sexualité
Olivier, Christiane
Paris : Fayard, 2001. 119 p.

Non, tu n'es pas encore ado ! Les 8-12 ans sont toujours des enfants
Copper-Royer, Béatrice et Guillemette de La Borie
Paris : Albin Michel, 2004. 129 p.

Nos enfants aussi ont un sexe : comment devient-on fille ou garçon ?
Clerget, Stéphane
Paris : Robert Laffont, 2001. 266 p. (Réponses)

Parlez-leur d'amour et de sexualité
Robert, Jocelyne
Montréal : Éditions de l'Homme, 1999. 185 p.

Pour l'amour des enfants... la découverte de la sexualité et de ses mystères
Lessard, Sophia
Laval : Sexprime, 2002

(disponible en version française et anglaise à Sexprime, C.P. 18008, Laval, Québec, H7L 1L5. Tél: (450) 979-0431 ou par courriel (info@sexprime.biz).

La sexualité
Rouyer, Michelle
Paris : Bayard, 2003. 144 p. (La vie de famille)

Te laisse pas faire! Les abus sexuels expliqués aux enfants
Robert, Jocelyne
Montréal : Éditions de l'Homme, 2000. 100 p.

Tout ce que vous ne devriez jamais savoir sur la sexualité de vos enfants
Rufo, Marcel
Paris : Éditions Anne Carrière, 2003. 268 p.

Suggestions de livres pour les enfants (selon l'âge)

Le livre tout nu
Stinson, Kathy
Toronto : Annick Press, 1987. 31 p. (3 an +)

Jules est amoureux
Lamblin, Christian
Paris : Nathan, 2003. 20 p. (Croque la vie) (3 ans +)

Lulu Grenadine est amoureuse
Gillot, Laurence
Paris: Nathan, mars 2006. 30 p. (Mes p'tites histoires) (3 ans +)

Ma sexualité de 0 à 6 ans
Robert, Jocelyne
Montréal: Éditions de l'Homme, 2005. 80 p. (3 ans +)

D'où viennent les bébés? Un premier regard enchanteur sur les débuts de la vie
Royston, Angela
Montréal : Libre Expression, 1997. 37 p. (3 ans +)

Dis-moi, d'où viennent les bébés?
Saint-Lambert : Héritage, 1997. 36 p. (4 ans +)

Ma sexualité de 6 à 9 ans
Robert, Jocelyne
Montréal : Éditions de l'Homme, 2004. 62 p. (6 ans +)

Max a une amoureuse
de Saint Mars, Dominique et S. Bloch
Fribourg : Calligram, 1998. 46p. (Max et Lili) (6 ans +)

Max et Lili veulent tout savoir sur les bébés
de Saint Mars, Dominique
Fribourg : Calligram, 1999. 45 p. (Max et Lili) (6 ans +)

Poils partout
Cole, Babette
Paris : Seuil Jeunesse, 1999. 40 p. (6 ans +)

Mais d'où viennent-ils les bébés? Pleins feux sur les ovules, les spermatozoïdes, la naissance, les bébés et les familles!
Harris, Robie H.
Saint-Lambert (Québec) : Héritage Jeunesse, 2000. 81 p. (7 ans +)

Bisou et chocolat
Tibo, Gilles
Montréal : Dominique et compagnie, 2006. 45 p. (Roman rouge) (7 ans +)

Encyclopédie de la vie sexuelle : 7-9 ans
Verdoux, Christine, Jean Cohen, Jacqueline Kahn-Nathan et Gilbert Tordjman
Paris : Hachette jeunesse, 1998. 44 p. (7 ans +)

Les garçons et les filles
Labbe, Brigitte et Michel Puech
Toulouse : Milan, 2005. 43 p. (Les goûters philo) (8 ans +)

Questions d'amour : 8-11 ans
Dumont, Virginie et Serge Montagnat
Paris : Éd. France Loisirs, 2001. 47 p. (8 ans +)

Le sexe ? parlons-en ! La croissance, les transformations physiques, le sexe et la santé sexuelle
Harris, Robie H.
Saint-Lambert (Québec) : Héritage, 2001. 92 p. (9 ans +)

Ma sexualité de 9 à 11 ans
Robert, Jocelyne
Montréal : Éditions de l'Homme, 2003. 63 p. (9 ans +)

Que se passe-t-il dans mon corps? Guide à l'usage des jeunes filles
Raith-Paula, Elisabeth
Paris : Oskar, 2006. 128 p. (9 ans +)

Comment survivre quand on est un garçon
Arène, Jacques et Bernadette Costa-Prades
Paris : Albin Michel Jeunesse, 2003. 107 p. (10 ans +)

Comment survivre quand on est une fille
Rigon, Emmanuelle et Bernadette Costa-Prades
Paris : Albin Michel Jeunesse, 2003. 134 p. (10 ans +)

Ados : mode d'emploi

Michel Delagrave

Devant le désir croissant d'indépendance de l'adolescent et face à ses choix, les parents développent facilement un sentiment d'impuissance. Dans un style simple et direct, l'auteur leur donne diverses pistes de réflexion et d'action.

ISBN 2-89619-016-3   2005/176 p.

Aide-moi à te parler !
La communication parent-enfant

Gilles Julien

L'importance de la communication parent-enfant, ses impacts, sa force, sa nécessité. Des histoires vécues sur la responsabilité fondamentale de l'adulte : l'écoute, le respect et l'amour des enfants.

ISBN 2-922770-96-6   2004/144 p.

Aider à prévenir le suicide chez les jeunes
Un livre pour les parents

Michèle Lambin

Reconnaître les indices symptomatiques, comprendre ce qui se passe et contribuer efficacement à la prévention du suicide chez les jeunes.

ISBN 2-922770-71-0   2004/272 p.

L'allaitement maternel
(2ᵉ édition)

Comité pour la promotion de l'allaitement maternel
de l'Hôpital Sainte-Justine

Le lait maternel est le meilleur aliment pour le bébé. Tous les conseils pratiques pour faire de l'allaitement une expérience réussie !

ISBN 2-922770-57-5   2002/104 p.

Apprivoiser l'hyperactivité et le déficit de l'attention

Colette Sauvé

Une gamme de moyens d'action dynamiques pour aider l'enfant hyperactif à s'épanouir dans sa famille et à l'école.

ISBN 2-921858-86-X   2000/96 p.

L'asthme chez l'enfant
Pour une prise en charge efficace
Sous la direction de Denis Bérubé, Sylvie Laporte et Robert L. Thivierge
Un guide pour mieux comprendre l'asthme, pour mieux prévenir cette condition et pour bien prendre soin de l'enfant asthmatique.
ISBN 2-89619-057-0   2006/168 p.

Au-delà de la déficience physique ou intellectuelle
Un enfant à découvrir
Francine Ferland
Comment ne pas laisser la déficience prendre toute la place dans la vie familiale ? Comment favoriser le développement de cet enfant et découvrir le plaisir avec lui ?
ISBN 2-922770-09-5   2001/232 p.

Au fil des jours... après l'accouchement
L'équipe de périnatalité de l'Hôpital Sainte-Justine
Un guide précieux pour répondre aux questions pratiques de la nouvelle accouchée et de sa famille durant les premiers mois suivant l'arrivée de bébé.
ISBN 2-922770-18-4   2001/96 p.

Au retour de l'école...
La place des parents dans l'apprentissage scolaire
(2ᵉ édition)
Marie-Claude Béliveau
Une panoplie de moyens pour aider l'enfant à développer des stratégies d'apprentissage efficaces et à entretenir sa motivation.
ISBN 2-922770-80-X   2004/280 p.

Comprendre et guider le jeune enfant
À la maison, à la garderie
Sylvie Bourcier
Des chroniques pleines de sensibilité sur les hauts et les bas des premiers pas du petit vers le monde extérieur.
ISBN 2-922770-85-0   2004/168 p.

De la tétée à la cuillère
Bien nourrir mon enfant de 0 à 1 an
Linda Benabdesselam et autres

Tous les grands principes qui doivent guider l'alimentation du bébé, présentés par une équipe de diététistes expérimentées.

ISBN 2-922770-86-9   2004/144 p.

Le développement de l'enfant au quotidien
Du berceau à l'école primaire
Francine Ferland

Un guide précieux cernant toutes les sphères du développement de l'enfant: motricité, langage, perception, cognition, aspects affectifs et sociaux, routines quotidiennes, etc.

ISBN 2-89619-002-3   2004/248 p.

Le diabète chez l'enfant et l'adolescent
Louis Geoffroy, Monique Gonthier et les autres membres de l'équipe de la Clinique du diabète de l'Hôpital Sainte-Justine

Un ouvrage qui fait la somme des connaissances sur le diabète de type 1, autant du point de vue du traitement médical que du point de vue psychosocial.

ISBN 2-922770-47-8   2003/368 p.

Drogues et adolescence
Réponses aux questions des parents
Étienne Gaudet

Sous forme de questions-réponses, connaître les différentes drogues et les indices de consommation, et avoir des pistes pour intervenir.

ISBN 2-922770-45-1   2002/128 p.

En forme après bébé
Exercices et conseils
Chantale Dumoulin

Des exercices et des conseils judicieux pour aider la nouvelle maman à renforcer ses muscles et à retrouver une bonne posture.

ISBN 2-921858-79-7   2000/128 p.

L'estime de soi, un passeport pour la vie (2e édition)
Germain Duclos
Pour développer des attitudes éducatives positives qui aideront l'enfant à acquérir une meilleure connaissance de sa valeur personnelle.
ISBN 2-922770-87-7   2004/248 p.

Et si on jouait?
Le jeu durant l'enfance et pour toute la vie
(2e édition)
Francine Ferland
Les différents aspects du jeu présentés aux parents et aux intervenants: information détaillée, nombreuses suggestions de matériel et d'activités.
ISBN 2-89619-035-X   2005/212 p.

Être parent, une affaire de cœur
(2e édition)
Danielle Laporte
Des textes pleins de sensibilité, qui invitent chaque parent à découvrir son enfant et à le soutenir dans son développement. Une série de portraits saisissants: l'enfant timide, agressif, solitaire, fugueur, déprimé, etc.
ISBN 2 89619 021-X   2005/280 p.

Famille, qu'apportes-tu à l'enfant?
Michel Lemay
Une réflexion approfondie sur les fonctions de chaque protagoniste de la famille, père, mère, enfant... et les différentes situations familiales.
ISBN 2-922770-11-7   2001/216 p.

La famille recomposée
Une famille composée sur un air différent
Marie-Christine Saint-Jacques et Claudine Parent
Comment vivre ce grand défi? Le point de vue des adultes (parents, beaux-parents, conjoints) et des enfants impliqués dans cette nouvelle union.
ISBN 2-922770-33-8   2002/144 p.

Favoriser l'estime de soi des 0-6 ans
Danielle Laporte
Comment amener le tout-petit à se sentir en sécurité ? Comment l'aider à développer son identité ? Comment le guider pour qu'il connaisse des réussites ?
ISBN 2-922770-43-5   2002/112 p.

Le grand monde des petits de 0 à 5 ans
Sylvie Bourcier
Ce livre nous présente la conception du monde que se font les enfants de 0 à 5 ans. Il constitue une description imagée et vivante de leur développement.
ISBN 2-89619-063-5   2006/168 p.

Grands-parents aujourd'hui · Plaisirs et pièges
Francine Ferland
Les caractéristiques des grands-parents du 21ᵉ siècle, leur influence, les pièges qui les guettent, les moyens de les éviter, mais surtout les occasions de plaisirs qu'ils peuvent multiplier avec leurs petits-enfants.
ISBN 2-922770-60-5   2003/152 p.

Guider mon enfant dans sa vie scolaire · 2ᵉ étidion
Germain Duclos
Des réponses aux questions les plus importantes et les plus fréquentes que les parents posent à propos de la vie scolaire de leur enfant.
ISBN 2-89619-062-7   2006/280 p.

L'hydrocéphalie : grandir et vivre avec une dérivation
Nathalie Boëls
Pour mieux comprendre l'hydrocéphalie et favoriser le développement de l'enfant hydrocéphale vivant avec une dérivation.
ISBN 2-89619-051-1   2006/112 p.

J'ai mal à l'école
Troubles affectifs et difficultés scolaires
Marie-Claude Béliveau
Cet ouvrage illustre des problématiques scolaires liées à l'affectivité de l'enfant. Il propose aux parents des pistes pour aider leur enfant à mieux vivre l'école.
ISBN 2-922770-46-X   2002/168 p.

Jouer à bien manger · Nourrir mon enfant de 1 à 2 ans

Danielle Regimbald, Linda Benabdesselam, Stéphanie Benoît et Micheline Poliquin

Principes généraux et conseils pratiques pour bien nourrir son enfant de 1 à 2 ans.

ISBN 2-89619-054-6   2006/160 p.

Les maladies neuromusculaires chez l'enfant et l'adolescent

Sous la direction de Michel Vanasse, Hélène Paré, Yves Brousseau et Sylvie D'Arcy

Les informations médicales de pointe et les différentes approches de réadaptation propres à chacune des maladies neuromusculaires.

ISBN 2-922770-88-5   2004/376 p.

Musique, musicothérapie et développement de l'enfant

Guylaine Vaillancourt

La musique en tant que formatrice dans le développement global de l'enfant et la musique en tant que thérapie, qui rejoint l'enfant quel que soit son âge, sa condition physique et intellectuelle ou son héritage culturel.

ISBN 2-89619-031-7   2005/184 p.

Le nouveau Guide Info-Parents
Livres, organismes d'aide, sites Internet

Michèle Gagnon, Louise Jolin et Louis-Luc Lecompte

Voici, en un seul volume, une nouvelle édition revue et augmentée des trois Guides Info-Parents : 200 sujets annotés.

ISBN 2-922770-70-2   2003/464 p.

Parents d'ados
De la tolérance nécessaire à la nécessité d'intervenir

Céline Boisvert

Pour aider les parents à départager le comportement normal du pathologique et les orienter vers les meilleures stratégies.

ISBN 2-922770-69-9   2003/216 p.

Les parents se séparent...
Pour mieux vivre la crise et aider son enfant
Richard Cloutier, Lorraine Filion et Harry Timmermans
Pour aider les parents en voie de rupture ou déjà séparés à garder espoir et mettre le cap sur la recherche de solutions.
ISBN 2-922770-12-5   2001/164 p.

Pour parents débordés et en manque d'énergie
Francine Ferland
Les parents sont souvent débordés. Comment concilier le travail, l'éducation des enfants, la vie familiale, sociale et personnelle?
ISBN 2-89619-051-1   2006/136 p.

Responsabiliser son enfant
Germain Duclos et Martin Duclos
Apprendre à l'enfant à devenir responsable, voilà une responsabilité de tout premier plan. De là l'importance pour les parents d'opter pour une discipline incitative.
ISBN 2-89619-00-3   2005/200 p.

Santé mentale et psychiatrie pour enfants
Des professionnels se présentent
Bernadette Côté et autres
Pour mieux comprendre ce que font les différents professionnels qui travaillent dans le domaine de la santé mentale et de la pédopsychiatrie: leurs rôles spécifiques, leurs modes d'évaluation et d'intervention, leurs approches, etc.
ISBN 2-89619-022-8   2005/128 p.

La sexualité de l'enfant expliquée aux parents
Frédérique Saint-Pierre et Marie-France Viau
Ce livre traite de la place qu'occupe la sexualité dans le développement de l'enfant de 0 à 12 ans, des types de comportements et de jeux sexualisés ainsi que des comportements sexuels problématiques.
ISBN 2-89619-069-4   2006/208 p.

La scoliose
Se préparer à la chirurgie
Julie Joncas et collaborateurs
Dans un style simple et clair, voici réunis tous les renseignements utiles sur la scoliose et les différentes étapes de la chirurgie correctrice.
ISBN 2-921858-85-1   2000/96 p.

Le séjour de mon enfant à l'hôpital
Isabelle Amyot, Anne-Claude Bernard-Bonnin, Isabelle Papineau
Comment faire de l'hospitalisation de l'enfant une expérience positive et familiariser les parents avec les différences facettes que comporte cette expérience.
ISBN 2-922770-84-2   2004/120 p.

Tempête dans la famille
Les enfants et la violence conjugale
Isabelle Côté, Louis-François Dallaire et Jean-François Vézina
Comment reconnaître une situation où un enfant vit dans un contexte de violence conjugale ? De quelle manière l'enfant qui y est exposé réagit-il ? Quelles ressources peuvent venir en aide à cet enfant et à sa famille ?
ISBN 2-89619-008-2   2004/144 p.

Les troubles anxieux expliqués aux parents
Chantal Baron
Quelles sont les causes de ces maladies et que faire pour aider ceux qui en souffrent ? Comment les déceler et réagir le plus tôt possible ?
ISBN 2-922770-25-7   2001/88 p.

Les troubles d'apprentissage : comprendre et intervenir
Denise Destrempes-Marquez et Louise Lafleur
Un guide qui fournira aux parents des moyens concrets et réalistes pour mieux jouer leur rôle auprès de l'enfant ayant des difficultés d'apprentissage.
ISBN 2-921858-66-5   1999/128 p.

Votre enfant et les médicaments : informations et conseils
Catherine Dehaut, Annie Lavoie, Denis Lebel, Hélène Roy
et Roxane Therrien
Un guide précieux pour informer et conseiller les parents sur l'utilisation